AS MELHORES PIADAS DO PLANETA... E DA CASSETA TAMBÉM 3

OBJETIVA

CASSETA & PLANETA É:
Beto Silva, Bussunda, Claudio Manoel,
Helio de La Peña, Hubert,
Marcelo Madureira e Reinaldo.
http://www.cassetaeplaneta.com.br

Editora Objetiva LTDA.
Rua Cosme Velho, 103 - Rio de Janeiro - RJ - 22241-090
Tel.: (21) 556-7824 - Fax: (21) 556-3322
http://www.objetiva.com

REDAÇÃO FINAL
Beto Silva

CAPA
Pós Imagem Design

PROJETO GRÁFICO
Fatima Agra

ILUSTRAÇÕES E CARICATURAS
Osvaldo Pavanelli

EDITORAÇÃO ELETRÔNICA
FA - editoração eletrônica

REVISÃO
Fátima Fadel
Tereza da Rocha

AS MELHORES PIADAS DO PLANETA... E DA CASSETA TAMBÉM 3

OBJETIVA

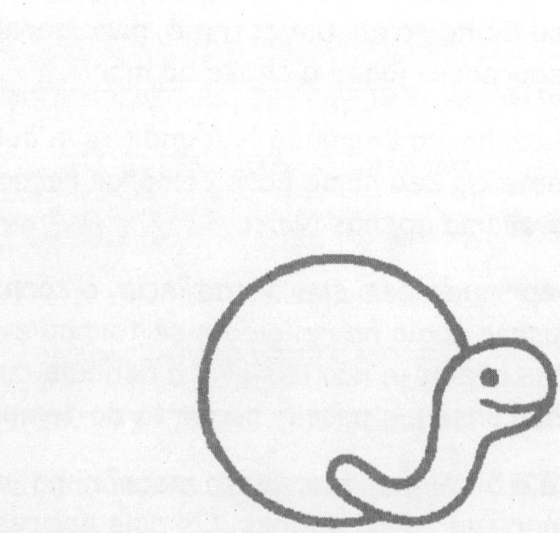

PREFÁCIO

Obrigado por ter contribuído para a sobrevivência dos personagens de anedotas adquirindo este livro. Fracos de caráter, nossos personagens sucumbiram ao apelo da fama e da fortuna fácil e torraram cada centavo que ganharam com os dois primeiros livros de anedotas do Casseta & Planeta.

O sucesso subiu à cabeça de todos, menos à do anão, para onde o sucesso teve que descer.

O papagaio gastou todo o seu dinheiro com putas e bebidas e está saindo da depressão na próxima edição da revista *Caras*.

O Manoel largou a família e caiu na vida. Sua mulher pediu o divórcio e ele teve que lhe dar metade do seu dinheiro. Manoel rasgou as notas e ficou com a metade da direita de todas as cédulas.

Já o Joaquim, que não é bobo, guardou todo o seu dinheiro em um cofre e, para garantir sua segurança, jogou a chave no mar.

O cachorro chamado Nabunda teve que vender parte do seu nome para comprar ração e hoje se chama apenas Na.

Deprimido com sua decadência, o corno foi buscar apoio na religião e se tornou evangélico. Mas até hoje não assistiu a nenhum culto, pois não consegue passar na porta do templo.

Já a bichinha, num gesto magnânimo, resolveu doar tudo pros pobres. Os dois pobres musculosos, lindos e sarados, que receberam a doação, se chamam Waldemar e Washington.

O único que não passou aperto foi o judeu, que aproveitou para comprar os outros personagens baratinho e nos revendeu por uma nota preta.

Estamos realmente a perigo, o bicho está pegando.
A piada moleque, a piada criada solta, treinando em campos de várzea, essa não existe mais. Estamos agora vivendo a era da piada cibernética, do riso virtual. É preciso defender a piada nacional da sanha assassina da globalização e do neoliberalismo.

Esse livro é muito mais do que uma obra de arte, é muito mais do que um compêndio de anedotas. Esse livro é uma verdadeira campanha beneficente. Por isso, considere o preço de capa apenas como uma sugestão e nada o impede de pagar o dobro ou o triplo do valor estipulado.

OS AUTORES! OS AUTORES!

BETO SILVA - Nasceu de parto normal, mas a sua barba veio ao mundo numa operação cesariana. Em uma de suas vidas passadas, Beto foi Buda. O problema é que a reencarnação ocorreu na final da Copa do Mundo de 1950 e ninguém reparou. Beto passou sua adolescência colhendo laranjas em um milharal em Israel. Foi preso no aeroporto de Tel-Aviv tentando passar pela alfândega com oito quilos de laranjas malocados no bolso. Beto foi criado por sua avó, com quem é casado até hoje.

BUSSUNDA - Enquanto bebê, Bussunda tentou participar do Concurso Bebê Johnson, mas só conseguiu uma vaga no Concurso do Sabonete Vale-Quanto-Pesa. Na sua infância, Bussunda freqüentava a praia de Copacabana, onde costumava encalhar no Posto 6. Bussunda teve muitas vidas passadas, mas a mais marcante foi quando o humorista reencarnou como o faquir mais gordo de Calcutá. Antes de brilhar na telinha, Bussunda ganhava a vida como dublê de Jô Soares para cenas perigosas.

CLAUDIO MANOEL - Nasceu na Bahia, depois de uma gestação tranqüila que durou dezoito meses. Para inteirar o orçamento, Claudio Manoel costuma alugar sua espaçosa testa como *outdoor* para campanhas publicitárias. Empresário de visão, Claudio investiu toda a sua fortuna em uma fábrica de camisinhas usadas. Além do humorismo, Claudio só tem um *hobbie*: ser corno nos fins de semana.

HÉLIO DE LA PEÑA - Nasceu na Suécia, onde recebeu o nome de Gunnar Olafssen, mais conhecido como Hélio de la Peña. Durante sua adolescência, Hélio foi eleito por três anos consecutivos o Rei Momo da Etiópia. Antes de ser uma lenda viva do humorismo, Hélio tentou ser percussionista do Olodum, mas foi despedido por absoluta falta de ritmo.

HUBERT - Por sofrer simultaneamente de miopia e disenteria, Hubert era conhecido no berçário como "Cinco Olhos". Numa de suas vidas passadas, Hubert foi o sedutor Casanova. Insaciável, Hubert, no seu auge, chegou a broxar cinqüenta vezes ao dia. Ligado ao tráfico internacional de piadas, Hubert vai sempre ao Paraguai para contrabandear anedotas japonesas produzidas na Coréia.

MARCELO MADUREIRA - Nasceu do lado avesso e mais tarde, depois de uma série de cirurgias plásticas, ficou feio assim mesmo. Em uma de suas vidas passadas, o humorista tentou reencarnar em Napoleão, mas foi impedido de entrar pelo imperador que alegou ser espada. Antes do estrelato, Marcelo exercia a profissão de ginecologista amador, quando foi pioneiro no atendimento a pacientes do sexo masculino. Atualmente, Marcelo é um dos artistas mais procurados do Showbiz Internacional. Procurado por estelionato.

REINALDO - Integrante mais velho do grupo, Reinaldo já nasceu com 18 anos e foi obrigado a cumprir o Serviço Militar no berçário. Amante do jazz e da boa música, Reinaldo é capaz de ouvir 20 discos do Kenny G. de uma vez só sem ficar de saco cheio. Intelectual poliglota e refinado, Reinaldo faz questão de ver os filmes pornôs dinamarqueses no original, sem legendas.

ANEDOTA DE BÊBADO NÃO TEM DONO

A menininha gostosinha, virgem, foi à praia. Quando ela sentou na areia, um siri entrou no biquíni dela e se instalou dentro da xoxotinha da moça. Incomodada, a menininha foi ao ginecologista. O médico examinou, examinou, mas não conseguiu descobrir o que havia na vagina da mocinha.

— Olha, minha filha — disse o médico —, eu não consigo te examinar direito por causa do hímen. Você tem que perder a virgindade.

— Mas doutor, eu não tenho namorado. Como é que eu vou perder a virgindade? O senhor não pode fazer isso pra mim?

— Não, de jeito nenhum. A ética médica não me permite.

— Como é que eu faço, doutor?

— Ah, você desce aí na rua e dá pro primeiro que passar.

A menininha saiu do consultório e na primeira esquina resolveu dar prum bêbado que estava por ali. O bebum topou, mas quando ele começou a comer a menina, o siri deu-lhe uma mordida bem na ponta do pau. Com a dor o bêbado tirou o pau fora e o siri voou pra fora da buceta. O bêbado então saiu pagando pro siri:

— Qualé, cabaço? Vai encarar, é? Vai encarar?

Como se chama o Viagra em Portugal?
— Ração para pinto!

O bêbado estava andando na rua quando viu uma freirinha vindo em sua direção. Não pensou duas vezes, pegou um pedaço de pau e encheu a freira de porrada. Quando a freira já estava estatelada no chão, o bêbado perguntou:
— E aí, Batman? Tu não era o fodão?

Sujeito entra no bar e pede:
— Um uísque duplo.
Ele paga, bebe de um gole, e olha pra carteira.
— Outro uísque duplo.
Ele paga, bebe de um gole, e olha pra carteira.
E o sujeito repete o ritual uma porção de vezes. Lá pelas tantas o *barman* não agüenta e pergunta:
— O senhor me desculpa a indiscrição, mas por que toda vez que o senhor bebe o senhor dá uma olhada na carteira?
— É que aqui na carteira tem uma foto da minha mulher. Quando eu começar a achar ela bonita, tá na hora de ir pra casa.

Dois namorados estavam transando na varanda do apartamento. Quando o cara gozou, o sêmen caiu lá embaixo, bem na camisa de um bêbado que ia passando. O bêbado olhou pro sêmen, olhou pra cima, entrou no prédio e foi até o apartamento do casalzinho. Tocou a campainha e uma senhora atendeu:
—A senhora é parente daquele casalzinho que está na varanda?
— Sou a mãe da moça — respondeu a senhora.
O bêbado mostrou o sêmen na camisa e, comovido, disse:
— Eu acabo de salvar seu netinho!

Você sabia que os portugueses usam somente a letra T nas suas agendas de telefones? Escrevem: telefone do Joaquim, telefone do Manoel, telefone do Pereira...

Bóris estava andando pelas ruas de Moscou quando achou uma lâmpada mágica. Ele esfregou a lâmpada e lá de dentro saiu um gênio.

— Mestre, eu te concedo um desejo! — disse o gênio.

— Bom — pensou um pouco o russo —, o que eu quero mesmo é beber vodca de graça pelo resto da vida.

O gênio fez lá um passe de mágica e falou:

— Seu desejo está atendido. De agora em diante, o seu xixi é vodca!

O gênio sumiu e o russo ficou meio cabreiro. Fez um xixi num copinho. Olhou pro líquido e era clarinho, transparente. Cheirou e não parecia mesmo xixi. Deu um golinho e ficou impressionado: era mesmo vodca. Bóris foi pra casa e acordou a mulher.

— Natasha! Eu agora mijo vodca!

Ele mijou no copinho e deu pra mulher. A mulher ficou relutante mas bebeu a vodca. Era a melhor vodca que ela já havia tomado. Os dois comemoraram a novidade enchendo a cara de vodca.

Então toda noite Bóris chegava em casa, pegava dois copinhos e ele e Natasha bebiam vodca a noite toda. Até que uma sexta-feira, Bóris chegou em casa e pegou só um copinho. Natasha estranhou:

— Ué, Bóris, por que você só pegou um copo?

— Porque hoje, Natasha, você vai beber da garrafa!

ARGENTINHAS E ARGENTALHAS

Era uma cidadezinha pequena bem na divisa do Brasil e Argentina. Na realidade, a avenida principal dividia o Brasil e a Argentina. Num sábado chegou o novo padre da única igreja da cidade. No domingo de manhã a igreja ficou cheia para a missa. Argentinos, brasileiros, o prefeito, toda a cidade estava lá. O novo padre começou o sermão:

— Irmãos... Estamos hoje aqui reunidos para falar dos Fariseus... Aquele povo FILHO DA PUTA COMO ESTES ARGENTINOS QUE ESTÃO AQUI!!!

— Ohhhhhhh!!!! — Constrangimento geral. O maior tumulto tomou conta da igreja! Os argentinos saíram xingando o padre, houve briga na porta da igreja, a maior confusão. Acalmados os ânimos, o prefeito foi falar com o padre na sacristia:

— Padre, pega leve, os argentinos gastam nas lojas, nos restaurantes, trazem divisas para a cidade! Não faça mais isso!

O padre concordou. No domingo seguinte o padre começou o seu sermão:

— Irmãos, estamos aqui reunidos hoje para falar de uma pessoa. Uma pessoa muito importante: Maria Madalena. AQUELA PUTA QUE TENTOU JESUS COMO ESTAS ARGENTINAS QUE ESTÃO AQUI!!!!!!!

Qual é a semelhança entre um 69 e um apartamento de luxo com cinco dormitórios em Osasco?
Ambos são uma maravilha, mas a vista é um cu!

Pancadaria na igreja. Tapas, socos, pontapés. Várias pessoas internadas no pronto-socorro da cidade! O prefeito novamente foi ao encontro do padre:

— Padre, o senhor não me disse que ia pegar leve? Pô, já era difícil o comércio nesta cidade, agora vai ficar pior ainda!!!! Padre, se o senhor não amansar, vou escrever uma carta ao bispo e pedir a sua retirada imediata!

O padre novamente concordou. Na manhã do domingo, o prefeito, precavido, entrou na sacristia com a polícia e a Brigada Militar.

— Padre, pega leve desta vez senão te levo em cana!!!

A igreja estava abarrotada, saindo gente pelo ladrão. Tinha gente pendurada nos lustres, agarrada nas pilastras, quase não se conseguia respirar de tanta gente. Começou o sermão:

— Irmãos, estamos aqui reunidos hoje para falar do momento mais importante da vida de Cristo: a Santa Ceia!

O prefeito respirou aliviado. O padre continuou:

— Jesus, naquele momento, disse aos apóstolos: "Esta noite, um de vós irá me trair!"

Então Paulo pergunta:

"Mestre, serei eu?"

E Jesus responde:

"Não, Paulo, não será você."

No que Pedro pergunta:

"Mestre, serei eu?"

E Cristo responde:

"Não, Pedro, não será você."

Então Judas pergunta:

"Mestre, soy YO?"

O que é o ego?
Um argentino que todos levamos dentro de nós.

Por que o tango é uma das músicas mais apreciadas do mundo?
Porque em cada tango morre um argentino.

Por que os argentinos olham pro céu toda vez que há um relâmpago?
Porque acham que Deus está tirando uma foto.

Qual é o melhor negócio do mundo?
Comprar um argentino pelo que ele vale e vender pelo que ele acha que vale.

Um argentino disse ao outro:
— Jesus era um cara humilde mesmo. Nasceu em Belém podendo ter nascido em Buenos Aires.

Como a mulher morreu de vinho branco?
Foi atravessar a rua e o carro vermelho passou direto, mas logo atrás "vinho branco" e atropelou ela.

Um sujeito condenado à morte.
— Qual é o seu último desejo?
— Quero me naturalizar argentino!
Estranhando, o carrasco pergunta por quê.
— É que assim morre mais um argentino.

Qual é a diferença entre argentinos e terroristas?
Terroristas têm simpatizantes.

Viajavam no vagão de um trem quatro pessoas: uma mulher gostosona, uma velhinha, um cara brasileiro e um argentino. A viagem transcorria normalmente, com os dois homens trocando olhares com a gostosona e a coroa só observando. Até que o trem entrou em um túnel. O vagão ficou escuro. Não havia nele uma única lâmpada que não estivesse queimada. Dali a pouco, ouviu-se o barulho do estalo de um beijo seguido do barulho de um tapa. A coroa, diante do ocorrido, pensou: "Bem feito! Um desses dois sem-vergonhas deu um beijo na mocinha e ela tascou-lhe um tapa!" Já a gostosona pensou diferente: "Um desses dois tentou me beijar, errou de boca, acertou a velha e levou uma bifa. Bem feito!" O argentino pensou: "Porra! El brasileiro deu um beijo na gostosa e eu que levei o tapa." O brasileiro estava rindo à toa e pensando: "Dei um beijo no meu braço e acertei uma raquetada na cara desse argentino filho da puta!!"

ASSIM ENTERRA COMO NO CÉU

Naquele dia o céu estava cheio, a maior zona. São Pedro resolveu organizar.

— Muito bem, pessoal — grita São Pedro —, vamos organizar isso em duas filas. Vocês homens que sempre dominaram suas mulheres façam fila aqui à esquerda. E os homens que sempre foram dominados por suas mulheres façam fila à direita.

Depois de muita bagunça, finalmente os homens entraram em fila. A fila dos homens dominados por suas mulheres tinha mais de 100 quilômetros. A fila dos homens que dominavam suas mulheres tinha apenas um cara.

São Pedro ficou chateado:

— Vocês deveriam ter vergonha! Deus criou vocês à Sua imagem e vocês se deixaram dominar por suas mulheres. Apenas um de vocês honrou o nome e deixou Deus orgulhoso de Sua criação. Aprendam com ele!

Então, virando-se para o homem solitário, São Pedro disse:

— Conte a esses homens como você fez para ser o único nesta fila!

— Eu não tenho certeza — explicou o homem — minha mulher me mandou ficar aqui...

O que significa FeedBack?
Filho de zagueiro.

O sujeito morreu e foi pro céu. Chegou lá e tudo era muito calmo. Anjinhos tocando harpa, céu azul. Tudo muito tranqüilo. Até demais. Um saco! Depois de uma semana, ele, de culhão cheio, pediu pra Deus:

— Aí, senhor, não tem umas mulherzinhas aqui não?

— Não. Mulher é no inferno! Mas se for pra lá, não tem volta — avisou o Todo-Poderoso.

O cara pensou bem e resolveu ficar. Uma semana depois de anjinhos tocando harpa e céu azul o sujeito não agüentou, chegou pra Deus e implorou:

— Pô, senhor, isso aqui é um tédio! Arruma pelo menos uma mulherzinha, por favor!

— Já disse, mulher é no inferno!

— Ah, então eu quero ir pro inferno.

— Olha lá, hein. Se for pro inferno, não tem volta.

— Tudo bem, eu quero ir pro inferno.

— Então você pega aquele elevador ali e desce pro inferno! — Deus indicou.

O cara pegou o elevador e começou a descer. De repente a porta do elevador abre e ele vê um monte de homens se beijando na boca, uma porção de marmanjos fazendo trenzinho, uns galalaus se atracando, se chupando...

— É aqui o inferno? — o sujeito perguntou.

— Não. Aqui é o Rio Grande do Sul. O inferno é mais embaixo.

Madre Tereza de Calcutá chega ao céu. Está feliz, até que vê a Lady Di com uma auréola na cabeça. Madre Tereza fica chateada.

— São Pedro, isso não é justo! Eu passei a minha vida inteira rezando, me dedicando à Igreja e aos pobres. Por que eu não tenho auréola na cabeça e a Lady Di tem?

— Calma, madre! Aquilo na cabeça da Lady Di não é auréola não! É o volante do carro.

Dois sujeitos que tinham estado em coma por mais de três meses conversavam.
— Rapaz, eu quase morri. Teve um momento em que eu vi uma grande luz diante de mim.
— É mesmo? Eu não vi nenhuma luz não. Se eu tivesse visto uma luz, eu não tinha sido atropelado pelo caminhão.

A mulher morreu e foi pro purgatório. Chegando lá encontrou São Pedro a esperando. Atrás dele havia duas portas, uma vermelha e outra azul. Disse São Pedro:
— Olá, minha senhora, eu sou São Pedro, seja bem-vinda!
— E que portas são estas?
— A azul é pro céu e a vermelha é pro inferno!
Nisso, detrás da porta azul a mulher ouve uma barulheira, uma gritaria danada, barulho de furadeira, gente gritando...

Qual é a diferença entre uma peça de teatro de vanguarda e uma neurocirurgia? Você consegue anestesia para uma neurocirurgia.

— São Pedro, que barulho é esse? — pergunta a mulher.

— Ah, isso é um cara novo que chegou, e eles estão furando as costas dele pra poder aparafusar as asas.

— Ah...

— ... mas como eu ia dizendo — continua São Pedro —, a porta azul é a do céu e você pode escolher pra onde vai...

Nisso, começa a maior barulheira de novo atrás da porta azul.

— E o que é isso agora, São Pedro?

— É o mesmo cara! Só que agora eles estão fazendo o buraco na cabeça dele pra colocar a auréola!

— Nossa, que violento! Eu não quero ir pro céu não! Eu quero ir pro inferno!

— Olha, minha senhora! O inferno não é legal, não! Veja bem, lá no inferno o diabo vai foder contigo!

— Tudo bem! Pelo menos os buracos já estão feitos!

CRIANÇA, O FUTURO E A MELECA ESTÃO EM SUAS MÃOS

Dois garotos conversam sobre os futuros presentes de Natal:

— Que é que você vai pedir ao Papai Noel?

Aí o outro:

— Eu vou pedir um OB.

— Um OB? Ué... pra que serve um OB?

— Isso eu não sei. Mas eu li na embalagem que com OB você pode ir à praia, nadar, jogar vôlei, andar a cavalo, fazer um montão de coisas!

No café da manhã, Juquinha pergunta para a mãe:

— Mamãe, o papai já sarou da diarréia?

E ela, espantada:

— Que idéia, menino! Quem falou que o seu pai estava com diarréia?

— Ontem à noite, quando eu passei na frente do quarto de vocês, eu ouvi a senhora falar para ele: "E essa merda, que nunca fica dura!"

Qual é o cúmulo da rejeição?
É quando sua mão adormece enquanto você está tocando punheta.

O garotinho de oito anos perguntou pra mãe:
— Mãe, Deus é preto ou branco?
— Bom — respondeu a mãe meio sem jeito —, Deus não é preto nem branco, meu filho.
— Deus é homem ou mulher?
— Bom, meu filho, Deus é os dois, homem e mulher.
O rosto do garotinho se iluminou e ele perguntou:
— Então, mãe, Deus é Michael Jackson?

— Mãe! Os meninos me chamaram pra jogar bola!
— Mas meu filho, você não tem as duas pernas nem os dois braços!
— Então, mãe, eles querem que eu seja a bola.

Chapeuzinho Vermelho estava andando pela floresta, quando viu o Lobo Mau agachado atrás de uma pedra.
— Nossa — disse Chapeuzinho —, mas que olhos enormes você tem!
O Lobo deu um pulo e saiu correndo pela floresta.
Chapeuzinho continuou andando pela floresta, quando viu novamente o Lobo Mau agachado atrás de uma árvore.
Chapeuzinho disse:
— Nossa! Mas que orelhas enormes você tem!
O Lobo deu um pulo e saiu correndo de novo.
Mais adiante, Chapeuzinho avista outra vez o Lobo Mau agachado atrás de uma moita. Chapeuzinho disse:
— Nossa! Mas que dentes enormes você tem!
O Lobo deu um salto e gritou:
— Porra, Chapeuzinho, eu aqui louco pra dar uma cagada e você enchendo o meu saco!

Qual é a diferença entre um boneco de neve e uma boneca de neve?
As bolas de neve.

A professora estava perguntando na turma do que cada uma das crianças mais gostava.
— Ritinha, do que é que você mais gosta?
— Das flores, professora.
— Que gracinha! E você, Mariazinha?
— Do céu, professora.
— Que lindo... E você, Soninha?
— Das borboletas, professora.
— Que maravilha... E você, Joãozinho?
— Ah, professora, eu gosto é de buceta!
— O Queeeeeeeeeê?!?! Seu sem-vergonha! Vem cá!
A professora pegou o Joãozinho pela orelha e foi arrastando o moleque até a sala da diretora.
— Imagine só: eu estava fazendo uma brincadeira com as crianças na sala, perguntando do que elas mais gostavam e esse menino vem e me diz que gosta de buceta!
— Como é que é, Joãozinho? — perguntou a diretora.
— É, diretora... eu gosto é de buceta!
— Seu mal-educado!!! Vou já chamar o seu pai!
E chamou o pai do Joãozinho na escola. O homem chegou lá apavorado, querendo saber o que tinha acontecido.
— Imagine o senhor — explicou a diretora — que a professora estava fazendo uma brincadeira com as crianças, perguntando do que elas mais gostavam e o seu filho vem e me responde que gosta de buceta!
— Ah, é isso? Liga não, diretora... Garoto novo... Nunca comeu um cu...

DEFESA PESSOAL DO CONSUMIDOR

Um hóspede vai até o gerente do hotel reclamar.

— Por favor, eu estou com um problema no meu quarto. Toda vez que cai uma migalha de pão no chão, milhares de ratos saem de todas as partes pra comer o pão.

— Ratos? Não é possível! Nosso hotel não tem ratos!

— Bom, então o senhor vem comigo pra ver.

O gerente do hotel vai com o hóspede até o quarto. Lá chegando, eles jogam uma migalha de pão no chão e saem ratos de tudo quanto é lado em direção ao pão. O gerente fica assustado. Então ele dá uma olhada pro lado e vê um polvo no canto do quarto.

— O que é isso? — assustou-se ainda mais o gerente do hotel. — Um polvo no seu quarto?

— Olha — disse o hóspede —, vamos resolver primeiro o problema dos ratos. Depois a gente fala sobre a questão da umidade!

Qual a semelhança entre o autorama e o peito de uma mulher?
Ambos são feitos para as crianças, mas só o pai usa!

O cara chega na farmácia e fala:
— Boa tarde, eu gostaria de comprar um pote de vaselina.
O farmacêutico pega um pote e entrega ao sujeito. O cara abre o pote, cheira, sente a textura e reclama:
— Porra, essa vaselina é fedorenta e muito porosa! Você não tem uma vaselina de melhor qualidade?
O farmacêutico vai ao depósito e volta com outra na mão dizendo:
— Essa aqui é um pouco mais cara, mas é muito boa!
O cara faz o mesmo ritual, abre o pote, cheira, sente a textura e ainda reclama:
— Olha só, meu camarada, essa aqui até tem um cheiro agradável, mas também é muito porosa. Eu quero a melhor vaselina que você tiver.
O farmacêutico retruca:
— Tudo bem. Mas prepara o bolso, essa custa 60 reais o pote. É importada da Inglaterra!!!
O cara responde:
— Foda-se o preço, eu quero uma vaselina de primeira linha.
O farmacêutico volta com a vaselina e o cara começa o ritual: abre o pote, cheira, sente a textura e exclama:
— Agora sim, que cheiro maravilhoso!!! Olha essa textura!!! Que maravilha!!!!
Ele paga os 60 reais e se manda todo sorridente.
Um senhor que estava na farmácia só sacando a discussão entre os dois, manda na lata, sem pestanejar:
— Esse cara é viado!
— Que é isso, meu senhor — responde o farmacêutico —, um cara pintoso, comprou uma vaselina da boa, deve estar indo comer o cu de um mulherão.
O velho rebate:
— Ninguém toma tanto cuidado com o cu dos outros!

O garoto queria comprar camisinhas. Ele entrou na farmácia e foi até o balcão, mas na hora, o rapaz ficou tão nervoso que não conseguiu pedir as camisinhas.
— Por favor, eu queria... eu queria... canudos!
Ele saiu da farmácia com os canudos. Lá fora ele pensou melhor e resolveu voltar. Mas cadê a coragem? Envergonhado, ele pediu:
— Me dá... me dá... uma... uma pinça!
Novamente ele saiu da farmácia, mas lá fora ele refletiu, se encheu de coragem e resolveu voltar. Respirou fundo e soltou o pedido de uma vez:
— Por favor, eu queria camisinhas!
O farmacêutico deu as camisinhas pro rapaz, e perguntou:
— Primeiro você veio aqui e pediu canudos, depois uma pinça e agora camisinhas. Porra, você vai chupar, arrancar ou foder?

Por que as surdas-mudas se masturbam só com uma mão?
Porque com a outra elas gemem!!!

EM BRIGA DE MARIDO E MULHER, NINGUÉM METE

A mulher, toda dengosa, pergunta para o marido:
— Benhê, o que você prefere, mulher bonita ou inteligente?
E o marido, bem carinhoso:
— Nenhuma das duas, meu amor, eu gosto de você.

O sujeito estava namorando a morena mais gostosa do bairro. Aquela em quem todo mundo era doido para dar uns amassos. Para maior infelicidade da galera, logo anunciaram casamento.
Mas, depois de alguns meses de paixão, a rotina tomou conta do casamento.
— Amorzinho — disse a morena —, a torneira da pia está quebrada. Você não vai consertar?
— Eu não! Eu não sou encanador! — respondeu o marido.
Depois de alguns dias:
— Amorzinho, os azulejos da cozinha estão caindo. Você não vai consertar?
— Cê tá doida! Eu não sou pedreiro!
Mais alguns dias:
— Amorzinho, a porta do nosso guarda-roupa tá com problemas. Você não vai consertar?
— Cê tá maluca! Eu não sou marceneiro!

Um dia o sujeito teve que viajar por uma semana. Quando voltou, encontrou tudo consertado.
— Quem consertou a pia? — perguntou o marido.
— O Ricardo — respondeu a morena.
— E os azulejos da cozinha?
— O Ricardo também.
— E a porta do nosso guarda-roupa?
— Ora, o Ricardo.
— Mas onde você arrumou dinheiro pra pagar ao Ricardo se eu não deixei dinheiro pra você?
— Ah, meu bem, quando eu perguntei como poderia pagar, ele me disse que eu tinha duas opções: ou fazia alguns pasteizinhos ou ia pra cama com ele...
— Aquele ordinário! Eu mato aquele desgraçado! Como é que ele fala assim com você?... Quantos pasteizinhos ele comeu?
— Cê tá louco? Eu não sou cozinheira!!

Um homem comenta com um amigo:
— Roubaram meu cartão de crédito.
— Você já avisou à polícia?
— Não, o ladrão está gastando menos que minha mulher!

Qual a semelhança entre as mulheres e as geladeiras?
Nas duas você coloca a carne pra dentro e deixa os ovos na porta!

Noite de núpcias. Depois de fazer amor pela primeira vez, a noiva fala para o noivo:

— Querido, eu nunca imaginei que você tivesse um órgão tão pequeno!

Ele responde:

— Nem eu sabia que um dia teria de tocá-lo numa catedral.

Um casal foi entrevistado para o *Fantástico*, porque estavam casados há 50 anos e nunca tinham brigado. O repórter, curioso, perguntou à mulher:
— Qual é o segredo de vocês nunca brigarem?
— Bem, quando nos casamos, meu marido tinha uma égua que era de estimação. Era a criatura que ele mais amava na vida. No dia do nosso casamento, nós fomos para a lua-de-mel numa carroça puxada pela egüinha. Andamos alguns metros e a égua, coitada, tropeçou. Meu marido olhou bem firme para a égua e disse: "Ummmm." Mais alguns metros e a égua tropeçou de novo. Meu marido encarou a égua e disse: "Dooissss!" Na terceira vez que ela tropeçou, ele sacou a espingarda e deu uns cinco tiros na bichinha. Eu fiquei apavorada e perguntei: "Mas por que que tu fizeste uma coisa desta, homem?" Meu marido me encarou e disse: "UUmmm."'
Depois disso, nós nunca mais brigamos.

Três caras foram jogar uma pelada no domingo de manhã.
— Rapaz, pra minha mulher deixar eu vir nessa pelada eu tive que dar uma dúzia de rosas pra ela.
— É mesmo? — o segundo comenta. — Eu comprei um anel de ouro, só assim ela me liberou.
— Comigo não teve nada disso — explicou o terceiro cara. — Eu acordei, soltei um peidão, cocei o saco, mandei aquele arrotão e perguntei pra minha mulher: "Futebol ou uma trepadinha?" Ela olhou pra mim e falou: "Peraí que eu vou pegar sua chuteira."

— Pai, quanto custa para casar?
— Não sei, filho. Ainda não terminei de pagar.

— Nas nossas bodas de prata, eu mandei minha mulher pro Japão!
— Que beleza! Mas, se nas bodas de prata tu já mandou sua mulher pro Japão, o que você não vai fazer nas bodas de ouro, hein?
— Acho que vou trazer ela de volta!

Amiga chorando no ombro da outra:
— Eu sou uma infeliz, Cremilda!
— Por quê, Elizangela?
— Eu sou uma infeliz! A família dele não aceita o nosso amor. São todos contra... o pai, a mãe, os irmãos, os sobrinhos... Todos mesmo!
E a amiga:
— Como é que pode ter uma família tão má assim?
— Aquela gente não presta. E a pior de todas é a mulher dele!

Desconfiado da fidelidade da sua mulher, o marido resolveu contratar um detetive particular. Deu a dica de um motel onde ela poderia estar e mandou o detetive ficar de olho para dar o flagrante.

— Não deixe a cretina escapar!
O homem ficou esperando na esquina, na maior expectativa, por mais de uma hora. De repente, resolveu se aproximar do motel e, pela janela, viu o detetive dando a maior surra numa mulher. Ele correu até o quarto.
— Espera aí! Essa não é a minha mulher!
— Mas é a minha! — berrou o detetive.

Um sujeito no supermercado se aproxima de uma mulher maravilhosa, estonteantemente gostosa.
— Eu me perdi da minha mulher aqui no supermercado. Posso ficar aqui do seu lado um pouco?
— Por quê? — perguntou a gostosa.
— É que toda vez que eu me aproximo de uma mulher bonita, minha mulher surge do nada!

A mulher consulta um vidente.
— Em um futuro breve vai acontecer uma grande tragédia em sua vida — prevê o vidente. — A senhora quer saber o que é, ou prefere que eu a poupe?

— Como se chama um homem inteligente em Portugal?
— Turista.

— Pode dizer! Eu não me importo. Não quero ser poupada de nada!
— Seu marido vai ser assassinado!
— E eu vou ser condenada a muitos anos?

Um casal, casado há anos, estava na cama fazendo sexo. Lá pelas tantas, o marido pergunta:
— Amor, estou te machucando?
— Não, bem, por que você está perguntando?
— É que você se mexeu!

Duas amigas conversam:
— É realmente incrível como o seu filho se parece com o pai.
— É, mas fala baixo, senão meu marido escuta e os chifres dele voltam a doer novamente.

O cara comprou um sapato novo e ficou felizão. De noite ele chegou em casa, tirou a roupa e ficou andando só de sapatos pela casa.

— Mulher, olha só que sapato lindão! Ele é tão bonito que o meu pau se curva para reverenciá-lo.
A mulher respondeu:
— Ah, é? Então, da próxima vez, vê se compra uma gravata!

Um casal estava atravessando uma crise financeira braba. Sem ter outra alternativa, o marido teve que fazer uma proposta para a mulher:
— Querida... não tem jeito. A única maneira da gente sair do sufoco é você rodar a bolsinha.
— Mas querido, eu nem sei como se faz isso!
— Não tem problema, eu te ensino — disse o marido. — Vamos fazer o seguinte: você fica, à noite, numa esquina. Eu me escondo atrás de um arbusto e qualquer dúvida você me pergunta, tá legal?
E assim eles fizeram. À noite, foram pra uma esquina. O marido ficou escondido atrás do arbusto, enquanto ela esperava algum "cliente". Depois de uns dez minutos, apareceu um rapaz num automóvel e perguntou pra mulher:
— Você faz programa?
A mulher meio sem jeito foi até o arbusto e perguntou, em voz baixa, pro marido:
— Benhê... eu faço programa?
E o marido:

O que tem quatro patas e um braço?
Um pit-bull feliz.

— Diz pra ele que sim!
Ela voltou pro carro e falou pro rapaz:
— Sim, eu faço programa.
— E quanto você cobra? — perguntou o rapaz.
A mulher voltou novamente para o arbusto e perguntou pro marido:
— Benhê... quanto eu cobro?
— Diz que cobra 100 reais — cochichou o marido.
Ela voltou até o carro e falou pro rapaz:
— 100 reais.
— 100 reais?... Puta merda... eu só tenho 70.
A mulher voltou pro arbusto e disse pro marido:
— Benhê... ele só tem 70.
E o marido:
— Diz pra ele que, por 70, só uma e.
E a mulher falou pro rapaz:
— Olha, por 70 só uma chupadinha!
E o rapaz:
— Tudo bem! Entra no carro!
A mulher entrou no carro. O rapaz desabotoou a calça e botou pra fora um cacetão enorme. A mulher, vendo aquilo tudo, falou pro rapaz:
— Espera um pouco que eu já volto.
Ela saiu do automóvel, foi até o arbusto onde estava o marido e perguntou:
— Benhê... me diz uma coisa: você não tem 30 reais pra emprestar pro rapaz não?

O sujeito conheceu uma mulher num *chat* na Internet e combinaram de se conhecer. Se encontraram num bar, mas a conversa não engrenava de jeito nenhum. O papo estava tão chato que o sujeito não agüentou e, escondido, pediu ao garçom que anunciasse que havia um telefonema para ele. O cara fingiu que foi atender o telefone e, na volta, disse à moça:
— Infelizmente eu tenho de ir. A minha avó acaba de morrer.
— Ainda bem — respondeu a moça. — Se demorasse mais um pouco, a minha é que ia morrer.

Um playboizinho namorava três mulheres ao mesmo tempo. Um dia ele decidiu que ia se casar, mas não sabia com qual das três. Então ele resolveu fazer um teste. Deu mil reais pra cada uma. A primeira voltou com cabelos feitos, toda maquiada, roupas novas.
— Eu quero ser a mulher mais linda do mundo só pra você, porque eu te amo!
A segunda chegou trazendo uma chuteira nova, uma camisa do time dele, uma bola, um taco de sinuca e duas caixas de cerveja.
— Eu comprei tudo isso pra você, porque eu quero te dar tudo. Eu te amo!
A terceira voltou com cinco mil reais.

— O que a esposa fala ao marido corno depois do sexo?
— Estou em casa em vinte minutos.

— Eu investi o dinheiro que você me deu e multipliquei por cinco. Isso tudo pra nos dar tranqüilidade, porque eu te amo!
O cara ficou impressionado com as três mulheres. Ele pensou, pensou, refletiu, refletiu e finalmente se decidiu: casou com a que tinha a melhor bunda.

Dois amigos conversando:
— Rapaz, eu ando com uma sorte tremenda!
— O que houve, ganhou na loteria?
— Nada disso. Ontem de noite, eu vinha saindo de um motel com a minha secretária justamente na hora que minha mulher tava entrando. Tu acredita que ela não me viu!

ERRAR É LUSITANO

O que uma nádega disse pra outra?
Que merda é essa que tá acontecendo entre nós duas?

Lançaram o cinema 180 graus em Portugal.
A primeira sessão ficou lotada, mas ao final ninguém saiu da sala.
O Manoel, o dono do cinema, foi ver e estavam todos mortos...
— O pá, será que vou ter que diminuir a temperatura?

Qual é a diferença entre o aluno português burro e o inteligente?
O burro escreve no caderno tudo o que o professor escreve no quadro-negro e quando o professor apaga o quadro, ele apaga no caderno também.
O inteligente não escreve nada porque sabe que o professor vai apagar mesmo...

Manoel morava em Portugal e Maria no Brasil. Um dia o Manoel recebeu uma carta da Maria:
"Quero ficar grávida, mande esperma pelo correio."
Manoel ficou feliz com a decisão da mulher e não titubeou, tocou uma bronha e mandou a porra pro Brasil. Uma semana depois chegou a resposta da Maria.
"Estou grávida..."
Depois de mais de dez filhos feitos dessa maneira, Manoel já estava cansado daquilo. Quando recebeu mais uma carta, de saco cheio, ele nem vacilou: misturou maisena, leite e tudo que encontrou pela frente e enviou pelo correio. Dois dias depois, veio a resposta da Maria: "Estou grávida..."

Manoel ficou boquiaberto. Surpreso, gritou:
— Caralho! Criei o esperma científico!

O português vinha com seu carro pela via Dutra quando viu uma loura de minissaia pedindo carona. Ele parou o carro.
— Para onde você está indo? — perguntou a loura espetacular.
— Para São José dos Campos!
Ela entrou no carro e os dois começaram a bater papo. Algum tempo depois, num ato de extrema coragem, o portuga conseguiu vencer a timidez e pousou a mão nas pernas da moça. Ela olhou para ele com um sorriso malicioso e disse:
— Se você quiser ir mais longe, eu não me importo!
— Ah, é? — respondeu o português. — Então vamos até o Rio de Janeiro!

O turista estava em Portugal, de carro, e queria seguir viagem para a Espanha. Parou então num posto de gasolina e pediu informações:
— Ô amigo, essa estrada aqui vai pra Espanha?

Quais as duas palavras que um homem deve dizer em um vestiário masculino para ele ficar completamente vazio?
— Bela piroca!

E o português:
— Olha, não sei de nada disso não, mas se ela for, vai fazer muita falta aqui.

A bichinha se apaixonou loucamente por um português que morava a dois quarteirões da sua casa. Toda noite a bichinha se produzia toda e ficava desfilando pra lá e pra cá, na paquera do lusitano. Até que um belo dia, o galego deu bobeira e a bichinha colou:
— Oi, gostosão... tá a fim de conhecer o meu apartamento?
E o portuga, muito educado:
— Ora pois, pois... aceito!
Meia hora depois, lá estavam os dois no apartamento da bichinha! Primeiro veio o jantar, bem requintado. Depois, boa música, sorvete, pudim, cafezinho. E o Manoel se sentindo prestigiadíssimo. Mais um pouco de papo e a bichinha achou que estava na hora do "vamos ver".
— Agora, gostosão, pra terminar essa noitada em alto estilo, eu vou te dar a minha bunda...
Foi quando o português, educadíssimo, interrompeu a moçoila:
— Negativo! Depois de me receberes tão bem e teres feito de tudo para me agradar, não é justo... eu faço questão: quem vai lhe dar a bunda sou eu!!

Um português vinha dirigindo seu carro, quando viu uma placa: "Devagar Quebra-Molas".
Ele acelerou bastante, passou pelo quebra-molas e destruiu todo o carro.
Saiu do carro, foi até a placa e escreveu:
"Cuidado! Rápido também quebra."

A Maria, grávida, entra em uma farmácia e pede pro balconista:
— Ó pá, por favoire, eu queria um preservativo!
O balconista a observa e exclama:
— Agora? Mas agora já não adianta!
— É que o Manoel, o meu marido, descobriu outro buraco. E eu não quero ficar corcunda!

Quando um homem abre a porta do carro pra mulher, das duas uma: ou o carro é novo, ou a mulher é nova!

O português estava assistindo ao *Jornal Nacional* quando, de repente, uma notícia o interessou. Falava de um cara que matou a sogra e a enterrou no chão da sala e só agora, 25 anos depois, é que descobriram. O gajo ficou pensando muito naquilo.
— Caralhu! Eu também poderia matar a megera da minha sogra e a enterrar na sala. Até descobrirem, já estarei morto, colocado que tenho 50 anos... é, acho que vou fazer isso sim, oh raios!
E armou a arapuca. Chamou a sogra para um jantar. Na primeira oportunidade, BAM!, lenhada na cabeça da velha, que logo foi enterrada na sala. Meia hora depois, toca a campainha do portuga. Era a polícia, que avisou:
— O senhor está preso por assassinar a sogra!
— Mas, mas, mas...
— Nada de mas, já para a viatura!
Na delegacia, o gajo, desconsolado, esbravejava:
— Eu vi na TV, um gajo fez a mesma coisa e demorou 25 anos para ser descoberto! Como vocês me descobriram tão rápido???
O delegado explicou:
— É que ele não morava no segundo andar...

Disseram pro Manoel que pão dá o maior tesão. Então o Manoel não titubeou, foi direto pra padaria e pediu:
— Me dá cinqüenta pães!
— Que isso, seu Manoel — ponderou o dono da padaria —, cinqüenta pães é muito!
— Eu quero cinqüenta pães! — insistiu o Manoel.

— É muito pão, seu Manoel, amanhã de manhã vai ficar tudo meio duro!
— Ah, é? Então me dá cem!

Três portugueses estavam em cima de uma árvore quando chega a polícia.
— Vocês três aí. Cês tão malucos? Vocês podem cair daí. Desçam da árvore!
Os três obedecem e descem da árvore. O policial pergunta:
— Quem são vocês?
Um dos portugas responde:
— Que memória! Nós somos os da árvore, ó pá!

O Joaquim chegou correndo em casa, pegou a Maria e a levou pro quarto.
— Vem, Maria, vem pra cama que me ensinaram uma posição nova. Se chama 69!

Quantas vezes a cama de um homem solteiro já foi feita?
Uma vez. Na fábrica.

Joaquim ensina à Maria como é que se faz 69 e eles começam a mandar ver. Lá pelas tantas, o Joaquim solta um tremendo peido na cara da Maria.
A Maria pára na hora, se levanta e grita, fula da vida:
— Ah, não! Os outros 68 tu vai dar na puta que o pariu!

Manoel estava muito gordo. Foi ao médico, que lhe receitou uma dieta:
— O senhor come normalmente por dois dias, pula um dia e depois come de novo normalmente mais dois dias. Repita esse procedimento por duas semanas. Na próxima consulta, o senhor já deve ter perdido uns três quilos.
O portuga foi embora. Duas semanas depois ele voltou quinze quilos mais magro.
— Impressionante! — surpreendeu-se o médico ao ver o Manoel. — O senhor seguiu minhas instruções?
— Claro, doutoire! Mas no terceiro dia eu quase morri!
— De fome? — perguntou o médico.
— Não. De pulaire!

O português recém-chegado ao Brasil passa diante de um chaveiro onde lê a placa "trocam-se segredos". O lusitano entra na loja e fala pro atendente bem baixinho:
— Eu já dei a minha bunda. E você, qual é o seu segredo?

Um americano, um francês e um italiano foram condenados à morte. Mas o juiz resolveu lhes dar uma chance de escapar da forca. Trouxe um português para a frente dos três réus e explicou:

— Aquele que contar uma piada que faça este português rir será absolvido e sairá desta corte com vida.

Então o americano pensou na piada mais esporrante que conhecia e contou.

Todo mundo presente se acabou de rir, menos o português que continuou sério. O americano foi imediatamente arrastado pelos guardas e enforcado na hora. Então foi a vez do francês. Todo confiante, contou uma piada que fez o juiz se mijar de tanto rir, junto com toda a corte. O português não esboçou um sorriso. O francês foi imediatamente enforcado. Foi quando o italiano se preparou para contar sua piada:

— Estava o papagaio...

O português começou a rir, não se segurou e em segundos estava rolando no chão, às gargalhadas, sem que o italiano tivesse dito mais uma palavra. O juiz ficou intrigado.

— Está rindo de quê, português? O italiano nem acabou de contar...

— Não é isso, ó pá. É que a piada do americano é do cacete!

Como se chama uma mulher que sabe sempre onde o marido está?
Viúva.

EU TE AMO. ACEITA CARTÃO?

Solto após doze anos de reclusão, a primeira atitude do sujeito foi ir a um puteiro. Escolheu uma das mulheres e disse a ela que estava muito ansioso, pois passara doze anos na prisão só pensando em sexo. Assim que foram para o quarto a puta lhe pagou um boquete e quando ele gozou ela ficou cinco minutos degustando o sêmen e depois o engoliu, supersatisfeita.

— Por que você fez isso? — perguntou ele, curioso.

— Não é todo dia que se experimenta um legítimo doze anos!

O sujeito passa por uma prostituta e pergunta:

— Quanto é?

— Compreta, 50 reais! — responde a puta.

— Eu te dou dez pratas — oferece o cara.

— Nem pensar — a puta despacha o sujeito.

No dia seguinte a mesma coisa.

— Quanto é?

— Compreta, 50 reais! — responde a puta.

— Eu te dou dez pratas — oferece o cara.

— Sai fora!

No outro dia o sujeito sai pra passear com a sua esposa. Eles por acaso passam pela esquina onde a prostituta faz ponto. Quando a puta vê o casal, manda na bucha:

— Tá vendo, mané, o que você consegue por dez pratas!

FEMINISMO É COISA DE MULHERZINHA

Qual é o nome daquele pedaço insensível na base do pênis?
— Homem.

Como saber se um homem está excitado sexualmente?
— Basta ver se ele respira.

Por que a mulher esfrega os olhos ou balança os cabelos de manhã quando ela acorda?
— Porque ela não tem saco para coçar.

Quantos homens são necessários para trocar o papel higiênico do banheiro?
— Ninguém sabe. Isto nunca aconteceu...

Qual é a diferença entre uma pessoa que cai do décimo andar e uma que cai do primeiro?
A que cai do décimo faz:
Aaaaaaaaaahhhhhhhhhhh! Ploft!
A que cai do primeiro faz: Ploft!
Aaaaaaaaaahhhhhhhhhhh!

Como se sabe que os homens têm 50 gramas a mais de cérebro do que um cachorro?
— Porque sabem se comportar em festas e não tentam trepar nos joelhos das mulheres.

Como é que o homem ajuda com a limpeza em casa?
— Levanta as pernas pra mulher passar o aspirador de pó no tapete.

Como é que os homens fazem exercício na praia?
— Encolhendo o estômago e estufando o peito toda vez que passa uma mulher de biquíni.

MANIFESTO DOS HOMENS MACHOS DO SEXO FORTE

Assim não dá! Chega de piadas feministas! Vocês, mulheres, não sabem como ficam feias contando essas piadinhas sem graça que apenas nos denigrem e entristecem.
Chega dessa guerra dos sexos que não leva a lugar nenhum!
O que nós homens queremos é muito pouco e com um pequeno esforço de vocês, mulheres, tudo pode se resolver facilmente.
O que nós queremos é apenas uma mulher perfeita!
Vejam alguns exemplos de frases que uma mulher perfeita diria:

FRASES DA MULHER PERFEITA

— Vou engolir tudo... Adoro o sabor!

— Que porra é esta de TPM que todo mundo fala?

— Qual a definição de meia idade?
— É quando o trabalho dá menos prazer. E o prazer dá mais trabalho.

— O que você acha de alugarmos um bom filme pornô e chamarmos a minha amiga Cláudia para fazermos um ménage?

— Putz! Se eu não te chupar logo, eu vou explodir!

— Eu sei que é mais apertado aí atrás, mas por favor tenta de novo.

— Eu prefiro ver futebol a ir ao shopping.

— Vamos assinar a Playboy.

— Vamos à praia pra você ficar olhando a bunda das mulheres.

— Eu adoro quando você vai jogar futebol aos domingos. Pena que você não tenha tempo de ir aos sábados também.

— Querido, a filha gostosa do nosso vizinho está se bronzeando de novo. Vem ver!

— Faça-me um favor: esqueça esta besteira de "dia dos namorados" e compre um par de chuteiras pra você!

— Eu compreendo totalmente. Aniversário de casamento tem todo ano. Pode ir jogar pôquer, que é um ótimo relaxante.

— Porra! No shopping de novo! Vambora pra um bar de strip-tease.

— Uau que peido!! Solta um outro aí...

GARÇOM, TEM UMA PIADA NA MINHA SOPA!

Um garçom morreu. Sua mulher, depois de sofrer muito a perda do marido, procurou um médium pra tentar falar com o espírito do garçom. Ela sentou em uma mesa redonda junto com o médium e mais duas pessoas. Eles se deram as mãos e o médium, então, falou:
— Zé, ô Zé, fale com a sua mulher!
Um barulho estranho se ouviu na sala, seguido de uma voz sinistra:
— Não posso!
— Por quê, Zé? — perguntou o médium.
Ouviu-se de novo a voz do garçom vindo do além:
— Essa mesa não é minha.

Um sujeito estava viajando pela Espanha. No primeiro restaurante em que entrou, pediu ao garçom para lhe trazer a especialidade da casa. O garçom lhe trouxe um prato com batatas, milho e dois grandes pedaços redondos de carne.
— O que é isso? — perguntou o sujeito.
— *Cojones*, senhor — respondeu o garçom.

O que um *cunnilingus* e ser da máfia têm em comum?
Um vacilo com a língua e você tá na merda.

— O que são *cojones*? — perguntou o sujeito.
— *Cojones* são os testículos do touro que morreu na tourada ontem — explicou o garçom.
O sujeito experimentou desconfiado a iguaria e achou extremamente saborosa. Tanto que prometeu voltar.
No dia seguinte ele voltou, e pediu o mesmo prato. Para sua surpresa, os dois pedaços de carne eram muito menores do que na véspera.
— Que prato é esse? — perguntou o sujeito.
— *Cojones*, senhor — respondeu o garçom.
— Não é possível! Ontem mesmo eu vim aqui e comi *cojones*. E eram muito maiores do que isso.
— Bem, senhor, nem sempre o touro perde...

— Garçom, essa sopa está com gosto de inseticida!
— Cliente nunca tá satisfeito! Quando tem mosca, reclama. Quando a gente toma uma providência, reclama também!

GAÚCHO GOSTA É DE SENTAR NO CONE SUL

— Por que um homem sempre tem a consciência limpa?
— Ele nunca a usa.

— Qual é a diferença entre o gaúcho e o pernilongo?
— O pernilongo, quando você lhe dá um tapa, pára de chupar.

— Como o gaúcho come peixe?
— Ele corta o peixe em três pedaços: come o do meio, chupa a cabeça e dá o rabo pro vizinho.

— Por que no Rio Grande do Sul tem muito homem?
— Porque cada gaúcho tem o seu.

Em uma sala, há quatro gaúchos e um só banquinho. Como fazer para que todos eles fiquem bem acomodados?
— Basta virar o banquinho. Cada gaúcho senta em uma das pernas.

— Por que o gaúcho cospe ao pegar no membro quando vai urinar?
— Porque ele fica com água na boca.

— Como se faz para reconhecer um gaúcho caçando onça?
— Ele fica agachado esperando a pintada.

— Por que o primeiro lugar em que o Papai Noel pára quando entra no Brasil é o Rio Grande do Sul?
— Para trocar os viadinhos.

Um gaúcho muito macho entrou no bar e foi logo chutando a porta, derrubando outro gaúcho macho.
Assustado, perguntou:
— Baahhh, tchê... Doeu, compadre?
Caído no chão, o outro respondeu:
— Não, compadre, dou eu que já estou deitado.

O que se deve dar para um homem que tem tudo?
Penicilina.

O gaúcho em pé no ônibus lotado. De repente encostou um cara atrás dele.
— O que você tá fazendo aí, rapaz? — perguntou o gaúcho.
— Eu? Nada...
— Então dá a vaga pra outro, tchê!

Um bar em Porto Alegre tinha um balcão enorme com um gaúcho sentado em cada banquinho. Tudo macho pra caralho. Entra um viadinho e senta no último banco do balcão. Os outros gaúchos se espremem todos lá na outra ponta do balcão. Aí a bichinha fala:
— Ih, gente... não vim bater córner não.

Gaúcho no bar.
— Não agüento mais. Não vejo a hora de chegar em casa pra tirar a calcinha da minha mulher!
— Calma, tchê, pra que tanta pressa?
— É que está me apertando muito o rego!

JUDEU NÃO ABRE A MÃO NEM PRA CONTAR PIADA

Dois judeus vendo aqueles shows de *strip-tease* americanos. As mulheres tirando a roupa e os homens colocando notas de dólar na calcinha.

DAVI — Jacó, você não vai dar dinheiro pra ela?

JACÓ — Tô esperando ela virar de costas pra passar o cartão.

Jacó está morrendo na cama. Agonizando, ele chama Isaac, seu filho mais velho:

— Isaac, agora que estou morrendo, quero te mostrar uma coisa. Está vendo este relógio? Foi do seu tataravô. Depois passou para o seu bisavô. Depois foi do seu avô. Depois do meu pai e agora é meu. É bonito, não é, Isaac?

— É, meu pai.

— Quer comprar?

O que dá o cruzamento de um cearense com um argentino?
Um porteiro que acha que é dono do prédio.

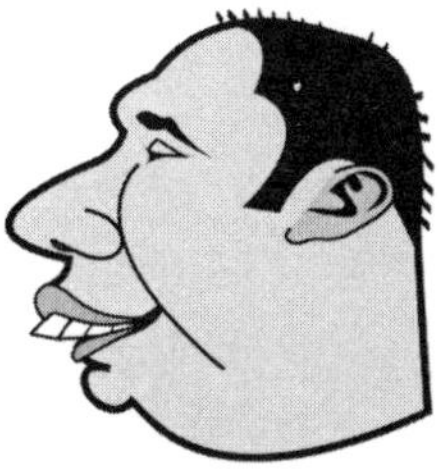

Numa sinagoga estavam quatro rabinos que se reuniam todo domingo pra tratar de questões filosóficas e religiosas. Três deles sempre concordavam e o quarto ficava isolado. O rabino incompreendido estava farto de perder de três a um, pois tinha certeza de que tinha sempre razão. Então, resolveu pedir a opinião de Deus:

— Senhor, eu sei que eu estou certo e eles estão errados. Por favor, se eu estiver com a razão, mande um sinal para que eles vejam que eu é que interpreto corretamente as suas leis!

Então um raio caiu do céu nos pés dos quatro rabinos.

— Eu sabia! Eu sabia que eu estava certo!

O rabino mais velho então respondeu:

— Tudo bem! Três a dois! Continuamos com a maioria!

Um padre e um rabino estão conversando. O padre diz:

— Rabino, eu sei que em sua religião é proibido comer carne de porco. Mas me diga uma coisa: você nunca provou porco mesmo?

— Olha — disse o rabino —, eu vou te confessar uma coisa: uma vez eu comi um porquinho sim! E você, padre? Na sua religião o celibato é obrigatório. Você nunca...

— Olha, rabino, eu vou te confessar uma coisa: uma vez, há muito tempo, eu sucumbi à tentação sim.

E o rabino disse:

— É melhor do que porco, né?

LADRÃO QUE ROUBA LADRÃO TEM CEM BURACOS DE TRÊS OITÃO

O que o japonês faz quando tem ereção?
Vota.

Um ladrão entra num banco:
— Isso é um assalto! Todo mundo com as mãos na cabeça! Você aí!
— Quem, eu? — pergunta um rapaz que estava no banco pagando suas contas.
— Você mesmo! Você vai chupar meu pau!
O rapaz, com a arma apontada pra cabeça, não tem outra alternativa. Se ajoelha e começa a chupar o pau do bandido. Lá pelas tantas o revólver do bandido cai no chão. O rapaz que estava pagando o boquete pega o revólver e o devolve pro bandido.
— Ô rapaz, segura esse revólver aí! Vai que entra um conhecido meu aqui no banco!

O rapaz foi preso e foi parar numa cela com um negão enorme, todo tatuado. O negão se aproximou dele e perguntou:
— Aí, ô branquela, tu quer ser a mamãe ou o papai?
— Bom, quer dizer... eu prefiro ser o papai, né? — respondeu nervoso o rapaz.
— Então, papai — disse o negão —, vem cá dar uma mamada na buceta da mamãe!

LOURA ZURRA!

Um jovem ventríloquo estava fazendo uma turnê e foi dar um espetáculo num bar em uma cidadezinha. Estava exibindo seu repertório usual sobre a burrice das louras, quando uma louraça sentada na quarta fileira levantou-se e, revoltada, disse:

— Já ouvi o suficiente das suas piadas denegrindo as loiras, seu idiota. O que o faz pensar que pode estereotipar as mulheres desse jeito? O que têm a ver os atributos físicos de uma pessoa com o seu valor como ser humano? São caras como você que impedem que mulheres como eu sejam respeitadas no trabalho e na comunidade, que nos impedem de alcançar o pleno potencial como pessoa. Por sua causa e por causa das pessoas da sua laia perpetua-se a discriminação não só contra as louras, mas contra as mulheres em geral... tudo em nome do humor!

Confuso, o ventríloquo começou a se desculpar:

— Bom, quer dizer, eu não queria...

Mas a loura o interrompeu.

— Não é com o senhor que eu estou falando. Estou falando com esse rapazinho que está sentado no seu colo!

Qual é a definição de "fazer amor"?
Uma coisa que as mulheres fazem enquanto os homens estão fudendo.

A loura liga para o namorado:
— Benhê, tô com um problema.
— O que houve?
— Eu comprei um quebra-cabeça, mas é muito difícil! As peças não se encaixam e eu não consigo encontrar os cantos.
— Qual é a figura? — pergunta o namorado.
— É um tigre — responde a loura, apreensiva.
— Se acalma. Tô indo praí.
Ele vai correndo pra casa dela. Chegando lá, a loura o leva até a cozinha e mostra o quebra-cabeça sobre a mesa.
— Puta que pariu! — grita o namorado. — Bota de novo os sucrilhos na caixa!

Em um avião indo para Nova York, a comissária se dirige a uma loura sentada na divisão reservada para a primeira classe e pede para que ela se mude para a classe econômica, pois ela não tinha a passagem para a primeira classe. Mas a loura rebateu:
— Eu sou loura, eu sou bonita, estou indo para Nova York e eu não vou sair!
Não querendo argumentar com a passageira, a comissária pede ao co-piloto para falar com ela. Ele foi falar com a mulher, pedindo que ela fizesse a gentileza de sair da primeira classe. Novamente, a loura respondeu:
— Eu sou loura, sou bonita, estou indo para Nova York e eu não vou sair!
O co-piloto voltou para a cabine de comando e perguntou para o piloto o que ele deveria fazer. O piloto disse:
— Deixa comigo! Eu sou casado com uma loura e eu sei como lidar com isso.
Ele foi para a primeira classe e sussurrou no ouvido da loura. Ela imediatamente pulou da cadeira e correu para o setor econômico, resmungando:

— Por que ninguém me disse antes?
Surpresos, a comissária e o co-piloto perguntaram ao piloto o que ele havia dito para a loura que a convenceu a sair.
— Eu disse a ela que a primeira classe não estava indo para Nova York.

Por que a loura sempre trepa calada?
Porque a mãe dela a proibiu de falar com estranhos.

Por que as louras não conseguem tirar carteira de motorista?
Porque toda vez que o carro pára elas passam pro banco de trás.

Por que as louras têm vagina?
Pros rapazes conversarem com elas nas festas.

O que as louras dizem depois do sexo?
Vocês são todos do mesmo grupo de pagode?

Qual é a punição por bigamia?
Duas sogras.

Qual é a diferença entre uma loura e um 747?
Nem todo mundo já esteve em um 747.

Por que as louras tomam pílula?
Pra saber qual é o dia da semana.

O que a mãe da loura disse pra ela?
Se você não estiver na cama até meia-noite, volte pra casa.

O que se diz para uma loura sem as duas pernas e os dois braços?
Belos peitos, hein!

Como você convence uma loura a casar com você?
Conta a ela que ela está grávida.
E o que ela pergunta?
Será que é meu?

MONTANHAS É MOLE REMOVER. QUERO VER A FÉ REMOVER MANCHAS E ENCARDIDOS!

O padre estava no confessionário atendendo as suas fiéis, quando uma súbita dor de barriga o atacou. Não agüentando mais de vontade de ir ao banheiro e vendo a fila enorme de fiéis ainda por atender, o padre pediu ao zelador da igreja, que estava por ali, pra tomar o seu lugar por alguns minutos.

— Mas, padre, eu não sei como fazer...

— É fácil, meu filho — explicou o padre —, é só consultar essa lista aqui com os pecados e as penitências.

O zelador assim fez. Veio a primeira mulher e confessou que havia tido maus pensamentos. O zelador consultou a lista e mandou ela rezar cinco Ave-Marias. Veio outra fiel e mais outra, e o zelador ia consultando a lista e dando as penitências. Até que veio uma moça que confessou que chupou o membro de um homem. O zelador consultou a lista, mas não constava chupada. Ele ficou sem saber o que fazer. Então ele pediu pra moça esperar, abriu a porta do confessionário e perguntou prum coroinha que passava:

— Ei, o que o padre dá por uma chupada de pau?

O coroinha respondeu:

— Um Choquito e uma jujuba!

Qual é a diferença entre um sábio e uma puta?

Pelo sábio passam muitas coisas pela cabeça, e pela puta passam muitas cabeças pela coisa.

Três casais queriam ingressar na Igreja Evangélica. O pastor falou:
— Pra vocês entrarem pro Templo, têm que se abster de sexo por duas semanas.
Duas semanas depois, eles voltaram. O pastor perguntou ao primeiro casal:
— Então, vocês conseguiram ficar sem fazer sexo por duas semanas?
— Conseguimos, pastor.
— Bem-vindos ao Templo! — disse o pastor.
— E vocês? — perguntou o pastor ao segundo casal.
— Na primeira semana foi fácil, mas na segunda nós quase desistimos. Mas conseguimos resistir à tentação.
— Muito bem, meus filhos. Bem-vindos ao Templo! E vocês? — perguntou o pastor ao terceiro casal.
— Olha, pastor, nós não conseguimos.
— Mas o que aconteceu?
— Bom, na primeira semana, nós até que fomos bem. Mas na segunda semana, eu não agüentei. Minha mulher estava pegando uma lata bem no alto de uma prateleira. Ela estava de minissaia. Eu fiquei olhando pra bunda dela e não resisti. Tracei ela ali mesmo!
— Que absurdo! — disse o pastor. — Vocês não pisem mais nesse Templo!
— É, eu sei. A gente não pode mais pisar no supermercado também!

São Pedro recebendo os recém-chegados ao céu.
— Bom dia! Qual é a sua religião?
— Eu sou presbiteriano.
— Muito bem. Quarto 24 — entrega a chave São Pedro.

— Mas, por favor, faça silêncio quando passar pelo quarto 8. Próximo! Religião?
— Judaica.
— Quarto 46. Mas, por favor, faça silêncio quando passar pelo quarto 8. Próximo! Religião?
— Batista.
— Quarto 34. Por favor, faça silêncio quando passar pelo quarto 8.
O sujeito, curioso, pergunta:
— São Pedro, tudo bem que cada religião tenha o seu quarto, mas por que temos que fazer silêncio quando passarmos pelo quarto 8?
— Porque é o quarto dos católicos, e eles acham que são os únicos aqui!

Um rapaz se confessa:
— Padre, eu toquei nos seios de uma mulher.
— E você tocou por cima ou por baixo da blusa dela? — perguntou o padre.
— Por cima da blusa — respondeu o rapaz.
— Burro! Por baixo da blusa a penitência é a mesma!

Por que as portuguesas vão ao ginecologista em grupo?
Porque na porta está escrito: consultas: de 9 a 17.

SEÇÃO ECUMÊNICA

TRATADO DE RELIGIÃO E FILOSOFIA COMPARADAS

TEMA NÚMERO UM: A MERDA

— *taoísmo: merdas acontecem!*

— *budismo: merdas acontecem, mas não é intrinsecamente merda.*

— *islamismo: se acontecer merda terá sido por vontade de Alá.*

— *protestantismo: merdas acontecem porque você não trabalhou o bastante.*

— *judaísmo: por que as merdas acontecem sempre com a gente?*

— *hinduísmo: essas merdas já acontecem há séculos.*

— *catolicismo: merdas acontecem porque você é mau.*

— *hare krishna: merda, erda, erda.*

— *ateísmo: as merdas não existem.*

— *hedonismo: nada como uma boa merda!*

— *agnosticismo: talvez aconteçam as merdas, talvez não.*

— *existencialismo: afinal, o que é a merda?*

— *estoicismo: essa merda não me afeta.*

— *marxismo: merda para todos!*

— *rastafarianismo: vamos fumar logo essa merda!*

O MUNDO, ANIMAL!

Desesperada, uma senhora procura um padre.
— Padre, eu estou com um problema! Eu tenho duas papagaias que estão me dando muito trabalho. Só o senhor pode resolver!
— Qual é o problema das papagaias, minha filha? — perguntou o padre.
— Elas só sabem falar uma coisa: "Olá, nós somos prostitutas! Vocês querem se divertir?" Elas falam isso o tempo todo e me deixam morta de vergonha — disse a senhora.
— Isto é terrível! — respondeu o padre. — Mas eu tenho uma solução para o seu problema. Leve suas papagaias para minha casa e eu as colocarei junto com meus dois papagaios, que eu ensinei a rezar.
No dia seguinte, a mulher levou suas papagaias para a casa do padre. Assim que foram colocadas na gaiola, elas disseram:
— Olá, somos prostitutas! Vocês querem se divertir?
Ao ouvir isso, um papagaio olhou para o outro e disse:
— Pode jogar o terço fora! Nossas preces foram atendidas!

O que é, o que é: muda de cor, anda pra trás e come criancinhas? Michael Jackson.

Numa feira, um homem vendia pássaros. Naquela semana, ele estava vendendo dois canários: um que cantava o tempo todo, e outro que ficava sempre calado. Uma moça, passando por ali, interessou-se pelos pássaros e perguntou o preço. O feirante respondeu:

— O passarinho que canta custa 12 reais. O mais quietinho custa 48 reais. Quer levar algum?

— Mas que absurdo! Devia ser o contrário! Por que esses preços?

— Porque o de 12 reais é o cantor, mas o de 48 reais é o compositor!!!

A gorila estava no cio. Ninguém segurava a bicha. O administrador do zoológico não sabia mais o que fazer.

— Chama o Zé, o zelador — alguém sugeriu —, ele traça qualquer coisa.

O administrador, já desesperado, chama o Zé e oferece:

— Zé, 50 reais pra comer a gorila.

O Zé pensou um pouco e respondeu:

— Tudo bem, mas tem três condições.

— Quais são as condições?

— A primeira é a seguinte: beijo na boca nem pensar.

— Claro, Zé — respondeu o administrador —, não precisa beijar, só fazer sexo.

— A segunda condição é a seguinte: se a gorila pegar filho eu não vou assumir!

— Claro! — respondeu o administrador. — E qual é a terceira condição?

— Me dá uma semana pra eu arranjar 50 reais!

A formiguinha dorme com o elefante. Quando acorda, pela manhã, percebe que o elefante está morto.
— Que merda de vida! — lastima-se a formiguinha. — Uma noite de paixão e depois, toda uma vida cavando uma cova!

Como um marido consegue ficar três anos sem falar com sua mulher?
— É só não interrompê-la.

O padre entrou na loja de animais.
— Eu quero um papagaio. Mas tem que ser um papagaio que não fale palavrões.
— É claro — respondeu o dono da loja, já mostrando um papagaio. — Este aqui é um papagaio religioso. O senhor está vendo estas cordinhas presas nas patinhas dele? Pois é, se o senhor puxar a cordinha da pata direita, ele reza a Ave-Maria; se puxar a da esquerda, ele reza o Pai Nosso.
— Puxa, que bom! — animou-se o padre. — E se eu puxar as duas?
O próprio papagaio respondeu à pergunta:
— Puta que o pariu! Aí eu caio, né!

Num cinema de arte entram um sujeito com cara de intelectual e seu cãozinho. No meio do filme, o cãozinho começa a bater palmas efusivamente. O cara que estava sentado ao lado se assusta:
— Nossa! O cachorrinho está aplaudindo!
— Eu estou tão surpreso quanto você — diz o intelectual. — Em casa ele me disse que leu a crítica e achava que o filme era uma porcaria.

Um touro e uma galinha estavam brincando no brejo. Lá pelas tantas o touro caiu dentro de uma enorme poça de lama. O touro já estava quase se afogando.
— Ô galinha, me ajuda! — implorou o touro.
— Mas como eu vou te tirar daí, touro?

— Vai lá na fazenda do seu Zé e traz ele aqui.
A galinha foi correndo até a fazenda, mas, quando chegou lá, o seu Zé tinha saído. Ela então pegou o Mercedes-benz do seu Zé e dirigiu até o brejo. Quando chegou lá, a galinha amarrou um cabo de aço no Mercedes e outro no touro e conseguiu tirar o touro da lama.
Num outro dia, o touro e a galinha estavam novamente brincando no brejo, quando, dessa vez, a galinha caiu na poça de lama.
— Vai lá na fazenda, touro, e traz o Mercedes! — implorou a galinha.
— Acho que eu não preciso disso! — disse o touro, já esticando as patas e puxando a galinha pra fora da lama com a maior facilidade.
MORAL DA HISTÓRIA: Se você for forte como um touro, não precisa de um Mercedes pra pegar umas galinhas.

Por que os homens só têm dois ovos e não três?
É que o terceiro foi chocado e virou pinto...

PARA SANADOR, VOTE GELOL!

O Fernando Henrique foi na festa do 145º aniversário do Roberto Marinho. Mas ao chegar na entrada da supermansão, percebeu que tinha esquecido o convite.

— Desculpe, mas sem convite não posso deixá-lo entrar — alegou o porteiro, muito educado.

— Mas eu sou o Fernando Henrique Cardoso, presidente da República!

— Então, me mostre seus documentos!

— É que eu também não tenho documentos, esqueci a minha carteira!

— Desculpe-me, mas não vou poder deixar o senhor entrar!

— O que é isso? Eu sou o presidente! O senhor nunca me viu na TV? Olha bem para a minha cara!

— De fato, o senhor é muito parecido com o presidente, mas sabe como é... existem muitos sósias seus por aí... o senhor vai ter de provar que é o senhor mesmo!

— Mas o que você quer que eu faça?

— Ah, sei lá! Olha, o Pelé também esqueceu os documentos, aí eu dei uma bola de futebol pra ele e ele fez umas 250 embaixadinhas, botou a bola no ombro, deu um lençol no garçom. Eu logo me convenci. O Oscar também esqueceu os documentos. Eu dei uma bola de basquete pra ele e ele arrebentou, fez uma demonstração com a bola e provou que era o grande Oscar.

— Pô, mas eu não sei fazer nada!

— Ok! Pode entrar!

Um avião estava indo para Salvador, na Bahia. A bordo estavam o senador Antônio Carlos Magalhães e um bando de assessores. De repente, ouve-se uma explosão, em seguida um cheiro forte de enxofre e aparece o Diabo, que se dirige aos passageiros e fala:
— Este avião vai cair e vai morrer todo mundo!
Pânico geral no avião, choradeira para um lado, desmaios para o outro. De repente ACM se levanta e diz aos assessores:
— Calma, deixa que eu resolvo.
ACM leva o Diabo para um canto:
— Diabo, me diga uma coisa: tu conhece Salvador?
— Conheço — respondeu o Diabo.
— Pois é, Salvador tem prefeito. Mas quem manda lá sou eu. Tu conhece a Bahia? — continuou ACM.
— Conheço— respondeu o Diabo.
— Pois é, a Bahia tem governador, mas quem manda lá sou eu. Tu conhece o Brasil? — continuou ACM.
— Conheço — respondeu o Diabo.
— Pois é, o Brasil tem presidente, mas quem manda lá sou eu. Agora tem um negócio, não vou te enganar não, Sr. Diabo, mas se eu morrer, eu vou pro inferno...
Nisso ouve-se outra explosão, o cheiro de enxofre some e o Diabo vai embora.

Por que não passa *Globo Esporte* na Etiópia?
Porque começa depois do almoço.

PIADA ELEITORAL GRATUITA

Interrompemos este livro, sem nenhum motivo, só para a exibição da Piada Eleitoral Gratuita.

JOAQUIM FERREIRA DOS SANTOS

PPP - PARTIDO DA PIADA DE PORTUGUÊS

Vocês me conhecem! Já trabalhei em milhares de anedotas, dando muita alegria à família brasileira, e agora peço o seu voto. Fui o autor da Lei que garantiu o emprego para dez portugueses em cada troca de lâmpada queimada! E para aqueles que duvidam da minha capacidade intelectual, quero dizer que eu completei um quebra-cabeça em seis meses, quando na caixa estava escrito que era de dois a quatro anos.

PINGULSON MAMADO

PBB - PARTIDO DO BEBUM BIRITEIRO

Se vochê acha eleichão um porre, você achou o candidato cherto! Eu não vou fajer promecha nenhuma porque, no dia jeguinte, eu vou esquejer tudo que eu falei... Mas votando em mim, cheu voto vai valer por dois! Aperte os dois botões que vão ficar nas duas urnas na sua frente. E vote em nós dois: em mim e em mim!

NANICO PEREIRA

PPR - PARTIDO DO PINTOR DE RODAPÉ

Temos que elevar o nível do debate! Chega de baixaria! Este país tem que voltar a crescer! Quem espera sempre alcança! Quer dizer, nem sempre, né? Como é que eu vou alcançar?!! Dá um banquinho aí...

JACOB DO BANDOLIMERMAN
PJA - PARTIDO DO JUDEU DE ANEDOTA

Quero ser deputada! Para esso, conto com seu vota e com o ajuda de minha esposa, a Sarrah, que sempre esteve comiga nos momentos mais difíceis... Quando eu perdi tudo no *crack* do Bolsa de Nova Iorque, Sarrah estava comiga! Quando eu perdi tudo no Segunda Guerra, Sarrah estava comiga! Quando eu perdi tudo na Plano Collor, Sarrah estava comiga... Mas tu é pé-frio, hein, Sarrah!!! Só falta agora eu perder a eleiçon por tua causa!!!

Maneta e ceguinho andando:
MANETA — Olha lá, ceguinho, que mulher gostosa!
CEGUINHO — Vai lá e passa a mão na bunda dela!

PIADAS QUE SÃO COMO O MEU PAU: CURTAS E GROSSAS!

Casal de homossexuais. Rogê acordou e encontrou seu parceiro Jorge na cozinha se masturbando e gozando dentro de uma camisinha.
— Que isso, Jorge?
— Estou preparando o lanche pra você levar, Rogê!

Por que acontecem muitos desastres de helicóptero em Portugal?
Porque quando fica frio, os pilotos desligam o ventiladorzão que fica em cima.

O funcionário insatisfeito com o baixo salário que recebe resolve reclamar com o patrão:
— Meu salário não está compatível com as minhas aptidões!
— Eu sei, eu sei — responde o chefe. — Mas não podemos deixar você morrer de fome.

PIADAS QUE SÃO COMO O MEU PAU: NÃO PODEM FICAR DE FORA!

Um sujeito estava há anos numa ilha deserta. Um dia uma loura maravilhosa chega na praia. Ela se aproxima do sujeito e pergunta:

— Há quanto tempo você está aqui?

— Dez anos — diz o náufrago.

— Há quanto tempo você não vê um cigarro?

— Dez anos — o cara responde.

Ela abre uma bolsa e tira de lá um pacote de cigarros novinho. Ela oferece um cigarro, o cara fuma com um tremendo prazer.

— Ah, como isso é bom!

— Há quanto tempo você não bebe um uisquezinho?

— Dez anos — diz o cara.

Ela tira da bolsa uma garrafa de uísque 18 anos. Ela oferece a bebida, o cara bebe e suspira:

— Ah, como isso é bom!

A mulher então se aproxima dele e pergunta toda melosa:

— E há quanto tempo você não faz uma coisa realmente divertida?

O cara abre um sorriso de orelha a orelha:

— Ah, que beleza! Não vai me dizer que você trouxe um baralhinho?

Por que a Igreja católica vai finalmente deixar os padres casarem?
Pra eles aprenderem como é o inferno.

Um explorador estava lá nos confins da Amazônia, quando de repente foi cercado por uma tribo de índios selvagens. Os silvícolas não estavam com uma cara boa, pareciam nervosos, o cara pensou: "Meu Deus! Tô fudido!" Um raio de luz surgiu do céu e Deus apareceu.

— Calma, meu filho — disse o senhor —, pega uma pedra e joga na cara do chefe dos índios!

O cara achou aquilo estranho, mas como era Deus que estava falando, ele não titubeou, pegou uma pedra bem grande e jogou na cara do cacique. Os índios ficaram furiosos e partiram pra cima dele. Então Deus disse:

— Agora sim! Agora você tá fudido!

Essa aconteceu no Rio Grande do Norte. Um garotão de 25 anos, boa-pinta, passou no concurso para juiz federal e foi mandado pra uma cidadezinha lá no sertão do Rio Grande do Norte. Ao chegar na cidade, foi logo avisado:

— Doutor, aqui tem um problema. Não tem mulher na cidade. Quando o senhor quiser afogar o ganso, tem que ir lá pra beira do rio.

O jovem juiz, mantendo a pose, disse que não havia necessidade.

Mas passados três meses o tesão foi aumentando e o juiz não agüentou. Botou a sua melhor roupa e foi pra beira do rio. Chegando lá, deparou-se com uma fila de homens e uma jumentinha. Ante a presença do juiz, o povo abriu caminho:

— Olha o doutor aí! Pode passar, doutor.

Diante de tanta gentileza e tamanho tesão, o juiz não titubeou: abaixou as calças e crau! na jumentinha.

A fila exclamou: "Oooohhh!!" E um homem gritou:

— Doutor, a jumenta é só pra atravessar o rio. O puteiro é do outro lado!

Um grupo de cubanos abandona a ilha rumo a Miami. No meio da viagem, um dos cubanos, o mais velho, sofre um ataque cardíaco e pede como último desejo uma bandeira para se despedir de sua querida Cuba. Os outros começam a procurar em bolsas, sacolas e em todos os lugares onde pudesse estar guardada uma bandeira de Cuba. Depois de um tempo se deram conta de que não havia nenhuma bandeira de Cuba no barco. Mas uma jovem de 20 anos, vendo o sofrimento do velho, disse que tinha tatuada na bunda a bandeira de Cuba e se ofereceu para ajudar. A mulher virou de costas para o moribundo, baixou as calças e mostrou a bunda com a bandeira tatuada. O velho agarrou a moça com força e beijou a bandeira emocionado, enquanto gritava:

— Mi querida Cuba, me despido con recuerdos, mi vieja Habana, mi linda tierra!

O velho continuou com beijos e mais beijos na bandeira. Depois de um tempo ele disse à mulher:

— Agora vira de frente que eu quero me despedir de Fidel!

Por que o México sempre se dá mal nas Olimpíadas?
Porque todo mexicano que sabe correr, pular ou nadar conseguiu fugir pros Estados Unidos.

Dois marcianos chegaram à Terra no deserto do Arizona. Depois de procurar durante horas por algum sinal de vida, já de madrugada, eles chegaram a um velho posto de gasolina e pensaram que uma daquelas bombas de gasolina antigas, dos anos 50, fosse um ser vivo. Os marcianos se aproximaram e exigiram:

— Terráqueo, leve-nos ao seu líder!

Como a bomba não respondia, um dos marcianos apontou uma arma *laser* para a bomba e falou mais alto:

— Terráqueo, obedeça! Leve-nos ao seu líder!

O outro marciano, com uma cara de assustado, tentou dissuadir seu colega:

— Olha, cara, acho melhor a gente deixar isso pra lá.

— Como assim, deixar pra lá? — gritou o marciano armado. — Esse terráqueo tem que se submeter à nossa vontade. Obedeça, terráqueo, ou eu atiro!

A bomba ainda não respondia, e o marciano assustado falou mais uma vez:

— Acho que esse cara é perigoso. Vamos embora enquanto podemos.

— Ora, que absurdo — disse o outro. — Somos superiores, tanto intelectual como militarmente. Leve-nos ao seu líder, terráqueo. É a sua última chance!

Como a bomba não respondeu, o marciano disparou sua arma, fazendo o posto inteiro explodir em chamas. A explosão os arremessou chamuscados a metros de distância. Machucado e atordoado, o marciano armado disse pro outro:

— Cara, você estava certo. Como é que você sabia que esse cara era tão foda?

— Porra, cara — respondeu o outro —, você não viu o tamanho do pau dele? O bicho descia, dava umas duas voltas no chão, subia de novo e ele ainda guardava na orelha!

O Pentágono descobriu que tinha muitos generais e bolou um programa de aposentadoria voluntária. Como incentivo, decidiram dar mil dólares de bônus por centímetro medido numa linha entre dois pontos quaisquer do corpo do oficial.
O primeiro general que aceitou pediu para que medissem do alto da cabeça até as pontas dos pés. Ele recebeu um cheque de 180 mil dólares.
O segundo general esticou os braços e pediu para medir a distância entre as pontas dos dedos dos dois braços. Recebeu um cheque de 200 mil dólares.
O terceiro general, já alertado, disse que queria que medissem da ponta do pênis dele até as bolas do saco.
Depois de muita risada, o examinador pediu para o general baixar as calças para ele poder medir.
— Meu Deus! — exclama o examinador. — Onde estão suas bolas?
O general responde:
— No Vietnam!

Aquele playboizinho recém-formado estava sendo entrevistado para um emprego.
— E quais são suas pretensões salariais? — perguntou o entrevistador.

Por que os homens não conseguem olhar as mulheres olho no olho? Porque os peitos não têm olho.

— Eu acho que pelas minhas aptidões eu mereço ganhar uns 20 mil reais por mês, mais benefícios. Por falar nisso, quais os benefícios que a sua empresa oferece?
— Normalmente, férias de seis semanas por ano, fundo de pensão para complementar sua aposentadoria, um Vectra novo a cada dois anos, cartões de crédito, título de um clube, plano de saúde integral para todos os dependentes e viagem aos Estados Unidos duas vezes por ano.
— O senhor está brincando?
— É claro! Mas foi você quem começou!

PIADAS QUE SÃO COMO O MEU PAU: PEQUENAS, MAS ESPORRANTES!

O filho perguntou pro pai:
— Pai, a gente pega AIDS sentando em tampa de privada?
— Depende, meu filho. Se o rapaz que estava lá antes ainda não tiver saído, aí pode pegar.

Um explorador branco era prisioneiro de uma tribo de canibais. Ele estava preso em uma cabana, quando surge um canibal na porta.
— Seu nome, por favor? — pergunta o canibal.
— Antônio. Mas por que vocês querem saber meu nome?
— Simples formalidade. É para escrever no menu.

Por que os carecas fazem sempre um buraco nos bolsos das calças?
Pra poderem passar os dedos nos cabelos.

O desastre foi horrível: um choque de frente entre um jumbo e um pequeno monomotor. Só um sobrevivente: o piloto do aviãozinho. Após dois meses entre a vida e a morte, o piloto se recuperou e pôde finalmente dar a sua versão do acidente.

— A culpa foi do casal que estava no meu avião. Eles estavam em lua-de-mel e iam no banco de trás. Mal levantamos vôo e comecei a ouvir gemidos e suspiros. Ajeitei o espelho retrovisor e comecei a curtir a sacanagem dos dois pombinhos. Aí, chegou uma hora que a garota começou a chupar o bilau do cara. Eu não conseguia tirar o olho daquela sacanagem. De repente o cara abriu um olhão e gritou desesperado: "Olha o jato!" Aí, eu me abaixei.

Os dois amigos se encontram no vestiário do clube, num fim de semana, na hora do banho. Um deles nota que o outro está usando calcinhas rendadas.

— Que é isso, cara? Calcinha de mulher?

O outro olha para um lado, olha para o outro lado e responde:

— É a última moda, você não sabia? Todos os meus amigos estão usando calcinhas em vez de cuecas.

— Que papo é esse, cara! Quando foi que você começou com esta mania?

— Quando a minha mulher descobriu uma calcinha no porta-luvas do meu carro.

O adolescente finalmente conseguiu levar a namoradinha pra dar uns amassos no carro do pai. Lá pelas tantas, quando eles já estavam com mão na coisa e coisa na mão, o rapaz propõe:

— Você não quer dar uma chupadinha?

— Tá maluco — responde a menina —, eu não vou botar isso na boca de jeito nenhum!

— Então só uma punhetinha! — insiste o rapaz.

— Mas eu nunca fiz isso. Nem sei como é que se faz!

— É fácil — explica o adolescente —, lembra quando você era menor, que você pegava uma garrafa de coca-cola, balançava bem, só pra esguichar no seu irmão? Então, é só fazer igualzinho.

Ela topou: pegou o pinto do rapaz e começou a balançar, como se fosse uma garrafa de coca-cola. Ele começou a ficar vermelho, os olhos fechados, as veias do pescoço saltando. Depois de uns cinco minutos, ele não agüentou e começou a gritar. A menina se assustou:

— Que foi?

— Tira o dedo polegar da boca da garrafa!

**Qual é a definição de otimista?
Um tocador de gaita de foles
com um *bip*.**

Um caminhoneiro dá uma carona pra uma mulher. Depois de andarem alguns quilômetros, a mulher pede pra ele parar pra fazer xixi. O caminhoneiro pára no acostamento e a moça vai pra trás do caminhão fazer xixi. O cara então resolve se aproveitar da mulher. Desce do caminhão, chega até a moça por trás e mete a mão por entre as pernas dela. Então, ele leva um tremendo susto quando agarra uma coisa cilíndrica pendurada no corpo da mulher. Ele pergunta:

— Você mudou de sexo?

— Não — responde a moça —, mudei de idéia. Tô fazendo cocô!

PAUSA PARA UMA TREPADINHA

Por que você não pratica com a sua mulher as últimas novidades em matéria de trepadas lançadas no mercado?

Se você gosta de rodeio, mas mora na cidade grande, agora você pode treinar sem sair de casa. É só praticar a TREPADA RODEIO.
Você faz o seguinte: quando for trepar com a sua mulher, você pede para ela ficar de quatro. Aí você pega um cronômetro e segura com a mão. Posicione-se por trás de sua digníssima. Com a outra mão, você pega nos peitinhos dela e meta-lhe a pica. Quando estiver bem lá dentro, você liga o cronômetro e fala pra ela:
— Meu bem, você é ótima na cama, mas a minha secretária...
O recorde brasileiro dessa modalidade é de cinco segundos em cima da mulher.

O seu casamento anda monótono e sem graça?
O sexo com a sua mulher é aquela coisa burocrática, sem tesão, tipo Miojo, dois minutinhos e pronto?
Por que você não tenta BRINCAR DE MÉDICO COM SUA MULHER POR UMA HORA?
— Brincar de médico? Isso dura uma hora? Que beleza! Mas como é que é isso?
— É só deixar a sua mulher na sala de espera por 55 minutos.

Como é que a Patricinha fica quando sai do motel?
Toda metidinha.

PLANTANDO NABOS, CENOURAS, PEPINOS E OUTROS VEGETAIS DE DUPLO SENTIDO

Numa fazenda moravam um casal e seus três filhos. Um dia a mulher acordou, olhou pela janela e viu que a única vaquinha que eles tinham estava morta. A velha ficou desesperada. E agora? Como iam alimentar a família? A vaquinha era o único bem que tinham. Deprimida, a mulher se suicidou. Quando o marido acordou e viu a mullher e a vaquinha mortas, ele não agüentou e teve um ataque cardíaco fulminante. O filho mais velho acordou e viu a situação. Tomou uma decisão drástica: foi até o rio para se afogar. Quando chegou no rio, deu de cara com uma sereia.

— Eu sei o que aconteceu com a sua família — disse a sereia —, mas se você me comer cinco vezes seguidas, eu trago todo mundo de volta.

O cara mandou ver. Mas só agüentou quatro vezes, na quinta ele broxou. A sereia ficou puta e o jogou no rio onde ele morreu afogado.

Então acordou outro irmão. Foi até o rio atrás do irmão mais velho e encontrou a sereia.

— Se você me comer sete vezes seguidas, eu trago todo mundo de volta — propôs a sereia.

O cara mandou ver, mas na sexta pirocada ele não agüentou e broxou. A sereia afogou ele no rio.

Então foi a vez do caçula. Ele foi até o rio e encontrou a sereia.

— Se você me comer trinta vezes, eu trago todo mundo de volta — propôs a sereia.

— Trinta vezes? — o caçula pensou. — E se você não agüentar e morrer que nem a vaquinha?

O que um padre e uma árvore de Natal têm em comum? As bolas são só enfeite.

Uma família no campo. A mãe, gorda, suja, suada, nojenta, comia um sanduíche de mortadela de pernas abertas. O filho reclama:

— Mãe, dá pra você fechar as pernas?

— Pra quê? Pra todas as moscas irem pra minha mortadela?

Um turista, passeando pelo campo, vê um menininho de uns dez anos puxando um touro enorme que se recusava a andar.

— O que você tá fazendo, meu filho? — perguntou o turista.

— Estou levando esse touro pra cruzar com a vaca da fazenda vizinha.

— E o seu pai não pode fazer isso?

— Não. Tem que ser o touro!

PUNHETA É TÃO IMPORTANTE QUE DEVIA SER BATIDA PELO PRESIDENTE DO CLUBE*

*Frase do Imortal Neném Bronha

— Pai, hoje o treinador me disse que eu sou uma promessa de gol!
— Que beleza, meu filho um artilheiro! Quer dizer que você vai ser um Romário? Um Ronaldinho?
— Não, pai, eu sou goleiro!

Um jogador baixa ao departamento médico com a perna em pedaços. Apesar disso, o jogador não parava de rir.
— O que houve, meu filho? Você com essa perna toda machucada e ainda ri? — perguntou o médico.
— É que nós fomos jogar no interior. Sabe como é que é, né, campo pequeno, todo esburacado, sem alambrado, a torcida toda do adversário em cima da gente. Uma hora lá eu fui bater um córner e um torcedor adversário trocou a bola por uma pedra. Eu não vi e quando bati o córner, minha perna ficou assim, toda quebrada.
— E você tá rindo de quê?
— Do centroavante que fez o gol de cabeça!

Qual é a semelhança entre as mulheres e os furacões?
Ambos chegam quentes e úmidos e quando vão embora levam seu carro e sua casa.

RICO QUANDO COME GALINHA É MODELO E ATRIZ

O marido perguntou à mulher como ela gostaria de comemorar os 40 anos de casamento.
— Você quer um anel de diamantes? — o marido perguntou.
— Não — respondeu a mulher.
— Um Mercedes esporte?
— Não.
— Uma nova casa de campo?
— Não. Eu quero o divórcio! — disse a mulher.
— Desculpa — respondeu o marido —, mas eu não estava pensando em gastar tanto dinheiro!

Uma emergente chama as amigas para a inauguração do seu novo *closet*. Ela sai com as amigas mostrando o armário novo. Abre uma porta e mostra milhares de sapatos:
— Aqui eu guardo minha coleção de sapatos Prada.
Ela abre outra porta:
— Aqui ficam as minhas bolsas Louis Vuitton.
Ela abre outra porta do armário e mostra milhares de vestidos pendurados:
— Aqui, os meus Chanel.
Uma das amigas, curiosa, abre uma porta no canto do armário e vê lá dentro um crioulo baixinho todo espremido. Ela se assusta:
— Que isso?
— Isso — explica a emergente — é o meu pretinho básico!

SALÁRIO MÍNIMO, PINTO DE JAPONÊS E OUTRAS COISINHAS MIÚDAS

O cara gostava de comer anão. Um dia ele entrou num bar, pegou um anão, levou pro banheiro e carcou o anão.
— Pô, cara, que sacanagem! — disse o anão.
— Qual é o problema? — perguntou o comedor de anões.
— Porra, você me comeu. Acabou com a minha vida!
— Bobagem. Faz o seguinte: pode dizer que foi você que me comeu, eu não me importo.
O anão achou a proposta legal. No dia seguinte ele voltou ao bar e encontrou outro anão. Os dois começaram a conversar e o primeiro anão disse:
— Tá vendo aquele cara grandão ali? Comi o cu dele!
— Eu também — respondeu o outro anão. — Vamos fugir?

O anão chegou na zona e levou logo uma puta pro quarto. Só que o pedaço de gente escolheu logo uma puta que era histérica. Eles começaram a fodelança e a puta gritando:
— Ai, me fode, me arrebenta, mete toda essa piroca!
O anão foi ficando sem jeito, todo mundo devia estar ouvindo aquela gritaria. A puta só gritando:
— Me come! Me arromba toda!
E o anão ficando envergonhado. Até que uma hora o salva-vidas de aquário não agüenta mais e pede pra ela.
— Dá pra você falar baixinho. — E ela:
— Ai, baixinho, me arromba, baixinho, me fode, baixinho!!!

— Doutoire, cada vez que eu tomo café me dói o olho direito!
— Tira a colherzinha da xícara, Manoel!

SE O MÉDICO LEGAL É O QUE TRATA DE DEFUNTO, IMAGINE O MÉDICO ESCROTO!

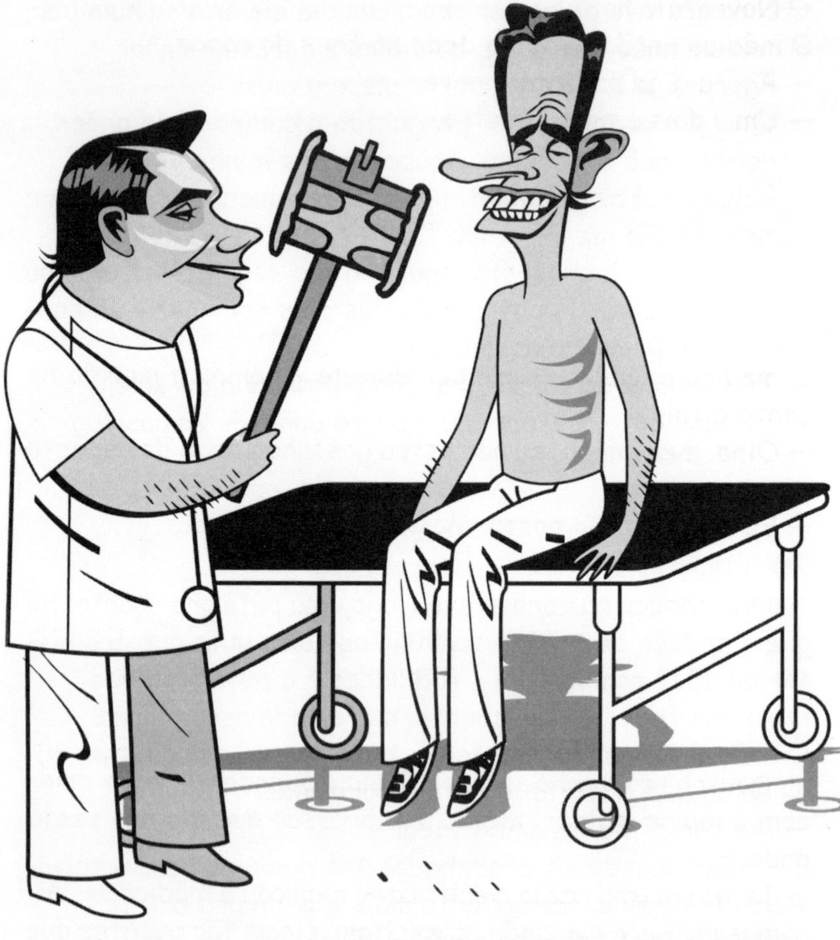

O rapaz foi ao médico.

— Doutor, eu tenho um problema: não sei se sou homossexual ou não.

— Vamos examinar.

O doutor pegou um testículo do rapaz e pediu.
— Diga noventa e nove.
— Noventa e nove — disse prontamente o rapaz.
O médico pegou o outro testículo do rapaz.
— Diga noventa e nove.
— Noventa e nove.
O médico então enfiou o dedo no ânus do rapaz.
— Agora diga noventa e nove.
— Um... dois... três... quatro...

O médico examinou a mulher doente, chamou o marido no canto e falou:
— Olha, meu amigo, eu não estou gostando nada do aspecto da sua mulher.
— Eu também não gosto. Mas o pai dela é rico!

— Doutor, eu tenho um problema. Quando eu faço amor com a minha mulher, me dá a impressão que ela não sente nada.
— Isso tem uma razão científica — explicou o médico. — Algumas mulheres, quando se excitam, ficam tão quentes que

Uma secretária pra outra:
— Você já reparou como nosso chefe se veste bem?
— E você já reparou como ele se veste rápido?

o calor as impede de sentir alguma coisa. O senhor faz o seguinte: quando estiver fazendo sexo com sua esposa, o senhor pegue um leque e tente abaná-la. O frescor certamente vai fazer sua mulher sentir prazer.
Na mesma noite o sujeito fez o que o médico aconselhou. Mas não conseguia abanar a mulher e transar ao mesmo tempo. Então, na noite seguinte, ele contratou um negão pra ficar abanando enquanto ele e a mulher faziam sexo.
— Abana, negão!
A mulher não sentiu nada.
— Abana, negão!
A mulher nem se mexia.
— Abana essa porra, negão!
A mulher nada.
— Porra, negão, me dá esse leque aqui e come você a minha mulher!
O cara começou a abanar, enquanto o negão foi pra cima da mulher e mandou ver. A mulher começou a gozar loucamente.
— Aiiiiii! Aiiiiii! Uiiii!
O sujeito, irritado, disse:
— Tá vendo, seu negão de merda! Tu não sabe nem abanar!

O cara chega em casa e encontra a mulher na cama com o médico.
— Que isso? — esbraveja o corno. — O que o senhor está fazendo aí?
— Eu estou examinando a sua esposa! Ela tem uma coisa muito estranha. De dentro do peito dela sai música!
O marido desconfia, vai até a cama, coloca o ouvido no peito da mulher.

— Eu não estou ouvindo nada! — diz o marido.
— É claro — responde o doutor —, o senhor não está plugado!

O ministro da Saúde resolveu dar uma incerta num hospital. O diretor do hospital o guiava na visita. De repente eles abrem uma porta e vêem um sujeito se masturbando vendo fotos numa revista de mulher pelada. O ministro fica estupefacto:
— O que é isso?
— Calma, ministro — explicou o diretor do hospital —, esse paciente sofre de uma doença terrível. Ele produz muito sêmen. Tanto sêmen que se ele não se masturbar pelo menos umas quatro vezes por dia, seus testículos podem explodir.
O ministro entendeu a situação e continuou sua inspeção. Lá pelas tantas, eles abrem uma porta e vêem uma enfermeira pagando um boquete num paciente.
— Que isso? — gritou o ministro. — Eu exijo uma explicação!
— Ah — disse o diretor —, é o mesmo problema daquele outro. Só que o Plano de Saúde deste é muito melhor!

**Como é que viado tira camisinha?
Peidando.**

— Doutor, doutor, não consigo mais fazer cocô!
— Quantos anos o senhor tem ?
— Oitenta e nove.
— Não se preocupe. O senhor já cagou bastante!

Sujeito foi ao médico se queixando de uma dor no estômago. O médico examinou, examinou, mas não conseguiu descobrir o que o cara tinha.
— Olha, meu amigo — disse o médico —, sinceramente eu não tenho a menor idéia do que está te causando esta dor no estômago. Só vejo um jeito de resolver isso: vou ter que fazer uma intervenção cirúrgica, vou ter que abrir a sua barriga.
O cara, desesperado, topou. O médico então fez a operação para descobrir o problema do rapaz. Quando ele abriu o sujeito, descobriu dentro da barriga uma peruca. Tirou a peruca e a dor, é claro, desapareceu. O médico ficou satisfeito com o resultado da cirurgia, mas, curioso, resolveu perguntar para o paciente:
— Meu amigo, como é que essa peruca foi parar na sua barriga?
— Você sabe, né, doutor, um pentelhinho hoje, um pentelhinho ontem...

O sujeito estava vendo o jogo do Parmera na televisão, bebendo cerveja e jogando amendoins pro alto e catando com a boca. De repente sua mulher o chamou da cozinha. Ele virou seu rosto pra responder à mulher e um amendoim acidentalmente caiu dentro do seu ouvido. Ele tentou, tentou e tentou e o amendoim não saía de jeito nenhum do ouvido. A mulher tentou, tentou, tentou e também não conseguiu.

— Acho melhor a gente ir pro hospital.

Nisso sua filha e o namorado saíam do quarto.

— Onde o papai está indo, mamãe? — perguntou a garota.

— Ao hospital. Um amendoim caiu dentro do ouvido dele — respondeu a mãe.

— Será que eu posso ajudar? — ofereceu o namorado da filha.

Eles concordaram. Então o namorado da filha colocou dois dedos nas narinas do sujeito e pediu:

— Sopra bem forte.

O sujeito soprou e o amendoim saiu do ouvido. Os namorados saíram e a mulher comentou com o marido:

— Que rapaz inteligente. Que será que ele vai ser quando crescer? Será que ele vai ser médico?

— Com certeza. E pelo cheiro dos dedos dele, vai ser ginecologista.

— Qual o maior sinal de amor que um homem pode dar à sua amada?
— Divorciar-se da esposa.

FRASES DE PÁRA-CHOQUE DE CAMISINHA

Aí você ganhou o broto, levou ela pra cama e quando começa a rolar a sacanagem você tem que colocar a camisinha. Para tornar esse momento broxante mais alegre e descontraído, escreva uma das frases abaixo em sua camisinha:

— Bebê a bordo.

— Amor só de mão.

— Não tenho tudo que como, mas como tudo que tenho.

— Te cuspo na cara.

— Hei de vencer mesmo sendo broxa.

— A inveja do pênis é uma merda.

— Já comi coisa melhor.

— Acorda pra cuspir.

— Pirocologia.

— Criada por Deus. Comida por mim.

SOGRAS CASCAVÉIS, SOGRAS CORAIS E OUTRAS SOGRAS VENENOSAS

A sogra vai visitar a filha e o genro.
— Há quanto tempo! — diz o genro. — Estou tão feliz em revê-la. Quanto tempo a senhora vai ficar aqui em casa desta vez?
E a sogra responde com sua peculiar antipatia:
— Até você ficar cansado de mim!
E o genro:
— Que pena. Não vai ficar nem prum cafezinho?

Um sujeito ia de férias em seu carro com a família. Sua sogra gritava e gritava, enchia o saco! O sujeito já estava ficando nervoso, mas a sogra não parava de gritar e urrar e espernear. Até que o cara não agüentou. Parou o carro, abriu a porta, foi até a traseira, abriu a mala do carro e falou pra sogra que estava lá dentro:
— Tá bom, pode ir lá na frente com os outros!

— Por que o peido tem cheiro?
— Para que os surdos também possam apreciá-lo.

UMA DOENÇA VENÉREA EM CADA PORTO

O marinheiro era louro, casado com uma mulher tão loura quanto ele. Ao voltar para casa depois de meses em alto-mar, descobre que durante sua ausência a mulher dera à luz um garotinho mulato. Surpreso, o marinheiro pede explicações à mulher.

— É muito simples — explicou a mulher. — Como eu não tinha leite suficiente, o bebê teve de ser amamentado por uma mulher preta. Ele nasceu branco, mas pouco a pouco foi escurecendo e acabou assim.

O marido ficou meio desconfiado e resolveu perguntar para a sua mãe se ela achava possível uma história dessas.

— Claro que é possível — disse sua mãe. — Aconteceu a mesma coisa com você. Como eu também não tinha leite, você foi amamentado por uma vaca. É por isso que você ficou com os chifres desse tamanho.

Um marinheiro e um pirata se encontram em um bar e começam a contar suas aventuras nos mares. O marinheiro nota que o pirata tem uma perna de pau, um gancho e um tapa-olho. Curioso, pergunta:
— Por que você tem essa perna de pau?
O pirata explica:
— Nós estávamos em uma tormenta no mar. Uma onda enorme veio por cima do navio e me jogou no mar. Eu caí no meio de um monte de tubarões. Lutei contra os tubarões e consegui voltar pro navio, mas um tubarão conseguiu arrancar a minha perna.
— Uau! — impressionou-se o marinheiro. — Que história! Mas e o gancho? Foi culpa do tubarão também?
— Não, o gancho foi outra história — explicou o pirata. — Nós estávamos abordando um barco inimigo e, enquanto lutávamos, eu fui cercado por quatro marinheiros. Consegui matar três, mas o quarto me cortou a mão.
— Caramba! — disse o marinheiro. — Incrível! E o tapa-olho?
— Uma pomba que ia passando e me cagou bem no olho.
— E você perdeu o olho só por causa de um cocô de pomba?
— Era meu primeiro dia com o gancho!

Por que a mulher japonesa é considerada a melhor nadadora do mundo?
Porque nada de frente, nada de costas, nada de bunda.

VELHOS ANCIÃOS IDOSOS DA TERCEIRA IDADE

Um casal de velhinhos está em suas cadeiras de balanço, na varanda. De repente, a velhinha levanta e dá uma bofetada na cara do marido, e volta para a cadeira de balanço.
— O que foi isso? — exclama espantado o velhinho.
— Isso foi por 34 anos de sexo ruim — responde ela.
E eles continuam balançando-se. Passado um tempo, o marido levanta e vai até a velhinha e lhe dá uma bofetada. E o velhinho explica:
— Isso é por você saber a diferença.

Um repórter entrevista um homem que, com 68 anos, vence um rodeio.
— Impressionante! O senhor com 68 anos, ainda em excelente forma, bateu essa garotada toda, seu José. Qual o seu segredo?
— Isso vem de berço, meu filho. Meu pai tem 88 anos e é ponta-esquerda aqui do Grotão Futebol Clube. O senhor pode perguntar pra qualquer um.
— Eu preciso conhecer seu pai...
— Hoje não vai ser possível, ele foi ao casamento do meu avô.
— Do seu avô? Quantos anos tem seu avô?
— Cento e dois.
— Mas esta é uma família incrível! O filho é campeão de rodeio aos 68, o pai ponta-esquerda aos 88 e o avô quer casar aos 102...
— Quer casar, não. Ele tem que casar!

Um casal de velhinhos conversando:
— Mulher, eu sempre tive uma dúvida, mas nunca tive coragem de colocá-la pra você. Eu sempre desconfiei da paternidade do nosso décimo filho. Ele é tão diferente dos outros nove! Agora que nós estamos completando 60 anos de casados, eu queria que você me tirasse essa dúvida: nosso caçula tem um pai diferente?
Maria olha pra baixo, incapaz de olhar pro marido, respira fundo e responde:
— É, Mário, o pai dele é diferente.
Mário fica boquiaberto mas, nervoso, pergunta com os olhos em lágrimas:
— Quem é o pai, Maria? Quem é o pai?
— Você, Mário!

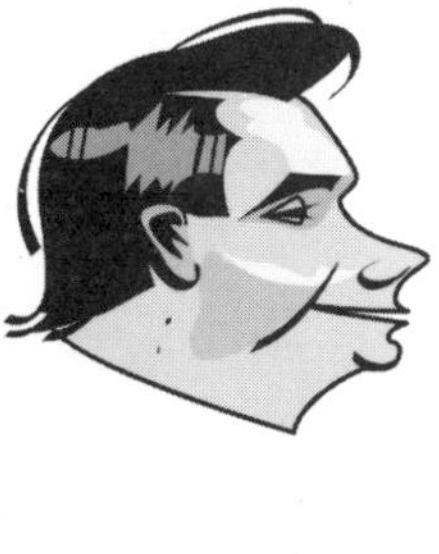

— Por que os homens mentem para suas esposas?
— Porque elas insistem em fazer perguntas.

Festa de aniversário. O velhinho de quase 100 anos está sentado num banquinho. De repente ele começa a tombar pro lado, parece que vai cair do banquinho.

— Cuidado com o vovô!

Rapidamente umas três pessoas se aproximam do velhinho e o ajeitam no banquinho.

Mais uns minutos e o velhinho começa a tombar pro lado de novo, parece que vai cair.

— Cuidado com o vovô!

Logo quatro pessoas ajudam o velhinho a se ajeitar no banquinho.

Na quinta vez que isso acontece, o velhinho reage revoltado:

— Me solta, gente! Não se pode nem mais peidar em paz!

O garoto e o avô brincavam no jardim. O garotinho achou uma minhoca tentando entrar num buraco no chão.

— Vô, aposto que eu consigo colocar essa minhoca no buraco!

— Tá apostado — respondeu o avô. — Cinco reais como você não consegue!

O menininho entrou em casa e voltou com um frasco de laquê da avó. Borrifou laquê na minhoca, que ficou dura. Assim ele, tranqüilamente, conseguiu enfiar a minhoquinha no buraco. O avô deu os cinco reais pro menininho, pegou o *spray* e entrou em casa. Vinte minutos depois o avô voltou e deu mais cinco reais pro menininho.

— Mas, vovô, você já me pagou a aposta!

— Eu sei, mas esses cinco reais quem mandou foi a sua avó.

Um casal de velhinhos estava andando em seu carro por uma estrada. A velhinha é que dirigia o carro, quando um policial fez sinal para eles pararem.
— A senhora sabe que ultrapassou o limite de velocidade? — perguntou o guarda.
— O que ele falou? — gritou a velhinha pro velhinho.
— Ele disse que você estava correndo muito — explicou, gritando, o coroa pra mulher.
— Posso ver a sua carteira de habilitação? — pediu o policial.
— O que ele disse, meu velho? — gritou novamente a velhinha.
— Ele pediu sua carteira — gritou o velho.
O guarda examinou a carteira e disse:
— Ah, tô vendo aqui que vocês são de Minas Gerais. Uma vez eu fui a Minas e fiz o pior sexo da minha vida.
— O que ele disse? — gritou mais uma vez a velhinha pro marido.
— Ele disse que conhece você!

— Quais são os três sinais de velhice?
— O primeiro é a perda de memória.
Os outros dois eu esqueci.

ANEXO

PIADA URGENTE!

E atenção! Acabamos de receber uma piada de última hora! Nosso repórter desempregado que está no olho da rua tem mais detalhes!

CALMA, HÉLIO! ESTÁ AQUI UMA PESSOA QUE VAI PASSAR UMA MENSAGEM DE OTIMISMO PRA VOCÊ: É O SEU FILHO, O JÚNIOR. QUE MOLEQUE FEIO...
PAPAI, O SENHOR VAI SAIR DESSA. EU ATÉ QUERIA FAZER UM PEDIDO: QUANDO O SENHOR SAIR DESSA O SENHOR ME LEVA NO ZOOLÓGICO?
NÃO, MEU FILHO, EU JÁ FALEI QUE QUEM QUISER TE VER QUE VÁ LÁ EM CASA!
O MOMENTO É DE MUITA TENSÃO. ESTAMOS AGORA COM O MAJOR EUSÉBIO QUE COMANDA A OPERAÇÃO RESGATE E QUE NESSE INSTANTE INSTRUI OS PASSAGEIROS DO AVIÃO!
FIQUEM TRANQÜILOS! ESSA AERONAVE TEM TRÊS PÁRA-QUEDAS E VOCÊS PODEM SALTAR SEM PROBLEMA QUE AQUI EMBAIXO UM JIPE AGUARDA PARA RESGATAR VOCÊS!
MAS NÓS SOMOS QUATRO! E O FRANCÊS ACABOU DE SALTAR COM UM DOS PÁRA-QUEDAS! AGORA SOMOS TRÊS PESSOAS E APENAS DOIS PÁRA-QUEDAS! E AINDA TEM ESSE CACHORRO AQUI, O NABUNDA!

POIS É, HÉLIO, ESTAMOS AQUI COM A DONA DO CÃOZINHO. ELA QUER FAZER UM APELO!
POR FAVOR, NÃO DEIXEM NABUNDA! UM DE VOCÊS TEM QUE LEVAR NABUNDA!!
AH MINHA SENHORA, EU NÃO VOU LEVAR NABUNDA NÃO! E VOCÊ, PORTUGUÊS?
Ó PÁ, VOU DEIXAR NABUNDA E LEVAR ESTE PÁRA-QUEDAS AQUI PARA SALTAIRE AGORA MESMO!
MEU DEUS! AGORA SOMOS EU E ESSE HIPPIE E APENAS UM PÁRA-QUEDAS!
JERÔNIMO!!!
CALMA, HÉLIO! VAMOS FALAR COM QUEM TEM MUITA EXPERIÊNCIA EM SITUAÇÕES DESSE TIPO! O QUE O SENHOR ACONSELHA NESTE CASO?
TRANQÜILIDADE. SOU ESPECIALISTA, JÁ CAÍ TRÊS VEZES E GARANTO QUE DA TERCEIRA DIVISÃO VOCÊS NÃO PASSAM!

ESTAMOS LUTANDO PELO ÚNICO PÁRA-QUEDAS QUE SOBROU! É O MOMENTO MAIS DRAMÁTICO DE NOSSAS VIDAS!
IH, DRAMÁTICO PRA VOCÊ, AÍ! EU TÔ NUMA BOA COM MEU PÁRA-QUEDAS, FALOU?
Ô, SEU HIPPIE, EU DOU O QUE VOCÊ QUISER! DOU TODO O MEU SALÁRIO DO ANO!
IH, É POUCO, AÍ...
Ô, HIPPIE, TE DOU TUDO QUE TENHO, AQUI: A CHAVE DO MEU CARRO, UM CHEQUE EM BRANCO, MEU APARTAMENTO...
NÃO! NÃO! NÃO!
O TELEFONE DA MARIA PAULA!
AÍ TEM JOGO, AÍ...
BELEZA!
PÔ, MAS TU É OTÁRIO MESMO, HEIN, Ô HIPPIE BURRO! O QUE VAI ADIANTAR O TELEFONE SE TU VAI SE ESBORRACHAR LÁ EMBAIXO?
IH, NADA A VER, AÍ! EU TÔ COM UM PÁRA--QUEDAS AQUI, O PORTUGUÊS É QUE PULOU COM A MINHA MOCHILA!
PORTUGUÊS! PORTUGUÊS! ISSO NÃO É PÁRA-QUEDAS! O SENHOR PULOU COM A MOCHILA DO HIPPIE!
AI, JESUS! SÓ FALTA O JIPE NÃO ESTAR LÁ EMBAIXO!
OSVALDO

Índice Remissivo

A

B

C

D

E

F

G

R

S

T

V

X

Z

markgraph
Rua Aguiar Moreira, 386 - Bonsucesso
Tel.: (21) 868.5802 Fax.: (21) 270.9656
Rio de Janeiro - RJ